Chère lectrice,

Voici venu le beau mois de juin... Les vacances d'été approchent, mais avant de partir vous détendre au soleil, je suis sûre que vous êtes impatiente de découvrir les nouveaux romans de la collection Horizon que j'ai spécialement sélectionnés pour vous. Dans *Un bonheur inattendu* (n°2065), le dernier volume de votre série « La magie de l'amour », vous verrez ainsi comment la princesse Meredith de Silestie, après avoir formé vingt et un couples, trouve à son tour le grand amour... Par ailleurs, une nouvelle série débute ce mois-ci : intitulée « Les mariées de Willington », elle vous fera découvrir les aventures sentimentales des trois sœurs Brubaker. Dans *Les mystères de l'amour* (n°2066), premier volet de cette passionnante trilogie, vous ferez la connaissance de Virginia, l'aînée des trois sœurs, qui croit détenir la recette miracle pour trouver le mari idéal. Dans *Une inoubliable rencontre* (n° 2067), vous découvrirez ensuite comment l'actrice Faith Starr, qui pensait avoir renoncé à l'amour après plusieurs déconvenues, rencontre par hasard le prince charmant... Enfin, dans *Fiancée bien malgré elle* (n°2068), vous verrez comment, en prenant la place de sa sœur jumelle, Jessie va tomber amoureuse de l'homme de sa vie...

Bonne lecture !

La responsable de collection

Une inoubliable rencontre

MELISSA McCLONE

Une inoubliable rencontre

COLLECTION HORIZON

*éditions*Harlequin

*Cet ouvrage a été publié en langue anglaise
sous le titre :*
BLUEPRINT FOR A WEDDING

Traduction française de
FRANÇOISE HENRY

HARLEQUIN®

est une marque déposée du Groupe Harlequin
et Horizon® est une marque déposée d'Harlequin S.A.

Originally published by Silhouette Books,
division of Harlequin Enterprises Ltd.
Toronto, Canada

*Toute représentation ou reproduction, par quelque procédé que ce soit, constituerait
une contrefaçon sanctionnée par les articles 425 et suivants du Code pénal.*
© 2005, Melissa Martinez McClone. © 2006, Traduction française : Harlequin S.A.
83-85, boulevard Vincent-Auriol, 75013 PARIS — Tél. : 01 42 16 63 63
Service Lectrices — Tél. : 01 45 82 47 47
ISBN 2-280-14484-0 — ISSN 0993-4456

Prologue

Dernière édition des *Secrets de la semaine* :

« Faith va-t-elle nous quitter ? »
par Garrett Malloy et Fred Silvers.

« La belle et talentueuse vedette de cinéma Faith Starr annonce son départ. Après le scandale d'hier et ses cinq ruptures de fiançailles précédentes, on pouvait s'attendre à une sixième. Mais tenez-vous bien, fidèles fans, *Secrets de la semaine* a appris que l'éblouissante Faith ne quitte pas un homme mais… l'écran.

» Malgré le piètre record au box-office de ses deux derniers films et les rumeurs entourant la sortie du prochain, *Jupiter Tears*, une superproduction de l'espace dont la date de sortie a déjà été reportée deux fois, les producteurs ont insisté pour qu'elle revienne sur sa décision.

» Cependant, la nommée pour le Golden Globe

n'a pas répondu à leurs appels. Ses manager et agent publicitaire se refusent à toute déclaration.

» La belle Faith a peut-être besoin de vacances après sa tapageuse rupture avec Rio Rivers, son séduisant partenaire dans *Jupiter Tears*. Rupture qui suit de près l'annulation de dernière minute de son mariage avec Trent Jeffrey, fondateur de Hearts, Hearths & Homes, l'association à but non lucratif de rénovation de logements pour les plus démunis.

» Personnellement, nous voulons croire que Mlle Starr prend simplement un congé sabbatique. Le producteur Max Shapiro approuve : "Faith est fatiguée. Malgré un récent enchaînement de mauvais rôles, elle est au sommet de sa carrière. Un bon scénario la ramènera sous peu devant les caméras."

» Espérons qu'il en soit ainsi, car l'Amérique est suspendue à sa décision… »

1.

C'était une grande dame, construite pour durer. La plus belle de Berry Patch, Oregon, et elle était censée lui appartenir.

Assis au volant de son pick-up, Gabriel Logan contemplait le manoir style Craftsman des années 1900 avec les piliers de pierre, les fenêtres à petits carreaux, les poutres apparentes, le porche qui courait tout le long de la maison, et les trois lucarnes faisant saillie sur le toit en pente douce. Elle était belle, certes. Et le cœur brûlant de regret, il crispa ses mains sur le volant.

Depuis des années, il rêvait de cette maison. Sa propriétaire, Mlle Larabee, une demoiselle âgée aujourd'hui de quatre-vingt-un ans, la lui avait promise de longue date. Il avait planifié toute son existence et économisé en prévision de son achat. Mais voilà que deux mois plus tôt, Mlle Larabee lui avait annoncé avoir reçu une offre « trop avantageuse pour être refusée ». Et elle ne lui avait même pas laissé la possibilité de renchérir.

Il tapota du bout des doigts le volant. Son chien, Frank, installé sur le siège du passager leva la tête et poussa un gémissement.

— Désolé, mon vieux, dit Gabriel en grattant le gigantesque bull mastiff derrière les oreilles. Nous ferions mieux de nous mettre au travail.

Il n'esquissa toutefois pas le moindre geste.

Aujourd'hui était un grand jour : il commençait à travailler sur la maison tant aimée. Pas en tant que propriétaire, malheureusement, mais en tant qu'entrepreneur engagé pour la transformer en auberge.

Son grand-père devait se retourner dans sa tombe. Cette maison était faite pour abriter une famille, pas des touristes tout émoustillés par leur visite des établissements vinicoles de Willamette Valley ! Et pourtant, Gabriel allait effectuer le sale boulot pour un mystérieux F.S. Addison. Il ne s'était pas encore entretenu avec lui ; c'était Henry Davenport, un ami commun, qui avait servi d'intermédiaire.

Sa bouche prit un pli amer. Dans ces conditions, c'était un véritable supplice d'effectuer ce travail, mais pour rien au monde il n'aurait confié à quelqu'un d'autre le soin de restaurer la maison. Qui d'autre que lui pouvait mieux en préserver le caractère et le charme, et restaurer la foule de détails qui la rendaient si particulière ? Des détails qui en faisaient un foyer. Son foyer.

Tant pis si le titre de propriété affirmait le contraire, Gabriel la considérait comme sienne depuis des années.

Frank tenta de rouler sur le dos pour quémander des caresses mais l'exiguïté de la cabine l'en dissuada.

Gabriel lui tapota la tête.

— Mon pauvre vieux, cette fois nous sommes tous les deux coincés !

Frank gémit.

— Je sais que tu manques de place…

Le chien fixa sur lui son regard triste. Nul doute qu'il regrettait sa spacieuse niche et le grand jardin clôturé où il pouvait s'ébattre à son aise. Gabriel aussi les regrettait.

— … malheureusement, je ne peux pas te laisser chez papa et maman toute la journée. Dès que j'aurai le temps, je nous chercherai une autre maison.

Quand Mlle Larabee lui avait annoncé qu'elle s'installait dans une résidence pour personnes âgées, il n'avait pas douté un seul instant d'obtenir la maison. Il lui avait donc fait une offre et mis la sienne en vente. En un rien de temps, l'affaire avait été conclue et il s'était installé dans le studio aménagé au-dessus du garage de ses parents en attendant de prendre possession de la maison Larabee. C'était un bon plan, mais il avait malheureusement échoué.

A vrai dire, jusqu'à présent, ses plans avaient tous échoué. A une époque, Gabriel pensait avoir tout prévu. A dix-huit ans, il épouserait sa petite amie de fac. A trente, il élèverait toute une ribambelle d'enfants dans la maison Larabee. Et voilà qu'il se retrouvait à trente-deux ans, sans femme ni enfants, et sans véritable foyer.

Il contempla la maison.

« Désolé, grand-père. »

De son temps, son grand-père avait déjà désiré restaurer la maison Larabee mais la mort lui avait ravi son rêve. Et maintenant, F.S. Addison lui ravissait le sien.

Frank posa sa grosse patte sur la portière côté passager. Contournant cent kilos de fourrure jaune, Gabriel la lui ouvrit. Le chien se coula hors du véhicule, remonta d'un pas pesant l'allée, escalada les marches du porche et s'allongea à l'ombre. Frank lui-même agissait en propriétaire des lieux.

De frustration, Gabriel frappa le volant. Une dure épreuve l'attendait mais il ne pouvait rester indéfiniment assis dans son pick-up. Plus tôt le chantier serait terminé, mieux ce serait. Il descendit du pick-up et sortit le rouleau de plans posé sur la banquette arrière.

Frank aboya, une fois, puis deux. Aurait-il vu un chat ? Soudain, un hurlement à glacer le sang déchira l'air paisible de ce matin d'été. Un hurlement de femme, non de félin.

Gabriel se précipita.

— Frank !

Le chien n'était plus sous le porche.

Un nouvel aboiement retentit. Gabriel se précipita vers l'arrière de la maison d'où semblait provenir le bruit. Il se fraya un passage à travers les herbes hautes pour trouver Frank, les pattes avant posées sur le tronc d'un vieil érable et remuant la queue.

— Qu'est-ce que tu fabriques encore ?

Frank regardait en l'air, tout haletant.

Levant les yeux, Gabriel découvrit un postérieur moulé dans un jean. Un postérieur très joli et très féminin au demeurant. Un T-shirt blanc était glissé dans la ceinture, une queue-de-cheval châtain émergeait d'une casquette de base-ball bleu marine.

Frank avait contraint pas mal d'animaux à se réfugier dans les arbres, mais jamais de cette espèce.

— Couché ! intima Gabriel, hésitant entre gronderies et félicitations.

L'air penaud, l'animal alla s'allonger dans l'herbe. Un bruit de sanglots étouffés parvint alors à Gabriel.

— Vous allez bien, mademoiselle ?

— Il est parti ? demanda une voix tremblante.

— Qui ?

— Le monstre aux grosses mâchoires. Je voulais examiner la maison et… et…

La vie l'ayant gratifié de cinq sœurs, il connaissait par cœur ce ton de voix mal assuré. Des insectes aux serpents, en passant par les souris, pour elles, il avait dû tout affronter.

— Vous n'êtes sûrement pas du coin.

— Comment avez-vous deviné ?

D'abord, il se serait souvenu de ce postérieur. Ensuite, la plupart des gens de Berry Patch prenaient le temps de flâner et de bavarder avec leurs voisins. Enfin, la bonhomie de Frank était légendaire à Berry Patch.

— Frank est doux comme un agneau, tout le monde sait ça.

— Frank ? C'est le diminutif de Frankenstein ?

— Non ! Il s'agit de Frank Lloyd Wright, l'architecte.

— Est-il toujours là ?

— L'architecte est mort mais le chien oui, répondit en riant Gabriel.

14

— Très amusant !

La voix de la jeune femme tremblait ; elle semblait vraiment terrorisée.

— Frank vous a-t-il fait mal ? demanda Gabriel d'un ton plein de sollicitude.

— Il m'a attaquée !

Un chien qui débordait d'amour pour l'humanité ? Gabriel en doutait fortement.

— Frank vous a *attaquée* ?

— Enfin, pas exactement. Il a couru en aboyant vers moi et je n'ai pas attendu la suite des événements.

— D'habitude, sa mauvaise hanche empêche Frank de courir, expliqua Gabriel. Mais, s'il est bien excité, il peut piquer un sprint sur une courte distance. Il devait avoir envie de vous saluer.

— Ou de grignoter un morceau de chair fraîche.

A vrai dire, Gabriel n'aurait pas rechigné à partager ledit morceau avec son chien.

— Descendez de cet arbre. Je vous accorde que Frank est impressionnant, mais il ne ferait pas de mal à une mouche.

— Possible, mais je ne suis pas une mouche.

Bon. La frayeur ne lui avait pas fait oublier son sens de la repartie.

— Allons, dit Gabriel en souriant, ne faites pas l'enfant !

Un pied chaussé d'une espadrille de toile blanche apparut, suivi d'une cheville nue.

— C'est bien. Frank voulait seulement jouer.

— Je… je ne joue pas avec les chiens.

Gabriel était intrigué. Berry Patch ne recevait pas tant de visiteurs, surtout des jeunes femmes escaladant les arbres. Il se demanda les raisons de sa présence en ville. Où pouvait-elle bien loger et pour combien de temps ? Brianna, la fille des voisins, fréquentait une école sélect de la côte Est. S'agirait-il d'une de ses amies ? Hum. Un peu jeune pour son goût, mais enfin…

— Que diriez-vous d'une invitation à dîner pour me faire pardonner ?

— Merci, mais ce n'est pas nécessaire.

— Un autre soir ?

Pas de réponse. Aïe ! Echec retentissant. Il était sorti avec la plupart des filles possibles de la ville sans trouver ce qu'il cherchait. Et, apparemment, sa situation ne risquait pas de s'améliorer dans l'immédiat.

Elle tenta d'assurer son appui ; un exploit avec ce genre de chaussures.

16

— Je suis navré que Frank vous ait fait peur. Je vous assure que c'est un bon chien.

— Je n'aime pas les chiens !

Un mauvais point à son actif. N'empêche qu'il appréciait ses longs cheveux et la façon dont son jean moulait son corps.

— Pourquoi ?

Du bout du pied, elle atteignit une branche inférieure.

— J'ai été mordue quand j'étais petite.

Grâce à la fréquentation de ses sœurs, il savait quoi répondre.

— Ça a dû être terrible. Etait-ce un gros chien ou le genre ratier hargneux ?

— Un ratier.

A l'intonation de sa voix, il supposa qu'elle souriait. Un bon signe.

— Les petits chiens sont empoisonnants, reprit-il. Ils ont tout le temps besoin d'affirmer leur domination.

— Comme les hommes au volant de leur voiture ?

— Exactement ! Un surcroît de puissance est toujours bon pour l'ego.

— La plupart des hommes préféreraient mourir que de l'admettre.

17

— Je ne suis pas la plupart des hommes.

Elle baissa les yeux sur lui mais ses lunettes de soleil dissimulaient son regard.

— Que conduisez-vous ?

— Un pick-up avec beaucoup de chevaux sous le capot.

Il surprit l'ébauche d'un sourire.

Elle gagna encore quelques centimètres. Il apercevait maintenant son dos et la bretelle de son soutien-gorge sur son épaule dénudée par le col du T-shirt.

— Avez-vous besoin d'aide ?

— J'y arrive très bien toute seule.

Il avait appris de sa mère à ne pas insister avec une femme animée de revendications féministes.

— J'en suis certain.

A cet instant précis, le pied de la jeune femme glissa. Il se précipita et la rattrapa par les hanches pour l'empêcher de tomber. Elle était douce, avec des rondeurs placées aux bons endroits. Et son parfum ensoleillé de pamplemousse l'enveloppa. Cette journée commençait plutôt bien, après tout. Il penserait à offrir un os à Frank en remerciement.

Le sourire aux lèvres, Gabriel posa la jeune femme à terre.

Elle essuya ses paumes à son jean.

— Merci.

18

— A votre service, milady.

La plupart des femmes de sa connaissance appréciaient la galanterie mais, au lieu de sourire comme il l'espérait, d'un air mécontent, celle-ci redressa le menton. Si seulement elle ôtait ces lunettes de soleil, qu'il puisse voir ses yeux… Elle ne portait pas de maquillage mais s'en passait fort bien. Avec son fin nez droit, ses lèvres généreuses et ses pommettes hautes, son visage avait une beauté qui se suffisait à elle-même. Et la tache qui souillait sa joue droite ne la rendait que plus mignonne. Encore que « mignon » ne fût pas le qualificatif qui décrive le mieux la façon dont ses seins tendaient son T-shirt.

Il sentit sa température s'élever vertigineusement.

Détail curieux : il avait l'impression de la connaître.

— Est-ce que nous nous sommes déjà rencontrés ?

— Ça m'étonnerait. Je suis arrivée hier soir.

Et, quelques heures plus tard, il faisait sa connaissance. Merci, Frank, décidément !

Il chercha à se remémorer l'endroit où il avait bien pu la voir.

— Votre visage ne m'est pas inconnu.

Les lèvres de là jeune femme se pincèrent.

19

— Je dois avoir un visage passe-partout.

— Vous êtes trop belle pour ça.

Elle haussa les épaules.

— Je vous ai vue quelque part, insista-t-il. Ça va me revenir.

Un écureuil traversa le jardin. Frank aboya puis se redressa sur ses pattes et trottina vers eux. Avec un haut-le-corps, la jeune femme se jeta dans les bras de Gabriel. Dans l'élan, ses lunettes glissèrent et sa casquette voltigea à terre, laissant crouler sur ses épaules une cascade de longs cheveux ondulés. Elle pressa son visage contre son épaule.

Il n'avait d'autre choix que de la serrer contre lui. C'était une sensation très agréable mais il s'aperçut qu'elle tremblait de tous ses membres.

— Sous le porche, Frank ! Tout de suite !

D'un pas pesant, le chien se dirigea avec obligeance vers l'avant de la maison.

Gabriel maintint la jeune femme serrée contre lui en attendant que se calment les battements désordonnés de son cœur.

— Ça va ? demanda-t-il enfin.

Sans répondre, elle s'accrocha à lui. C'était délicieux, bien qu'il eût préféré que cela se produise dans des circonstances différentes.

— Prenez le temps de vous remettre, murmura-t-il. Ce n'est pas tous les jours qu'une belle fille vous tombe dans les bras !

Il aima le son de son rire.

— Comment vous appelez-vous ? demanda-t-il.

— Faith, répondit-elle après une légère hésitation.

— C'est un joli prénom. Moi, c'est Gabriel. Mais il y a un petit problème, Faith…

Elle s'accrocha un peu plus à lui.

— Frank ?

— Non, non ! Placée comme vous l'êtes, vous ne pouvez pas vous en rendre compte mais Mme Henry nous observe derrière les rideaux de la maison d'en face et elle tient un téléphone à la main. Elle est intime avec Mme Bishko et Mme Lloyd. Et plus commères que ces trois-là, ça n'existe pas…

— Non ! s'écria la jeune femme, se dégageant vivement de ses bras.

Puis elle se reprit.

— Merci de m'avoir prévenue.

La première chose qu'il remarqua, ce fut le riche châtain de ses cheveux auquel le soleil matinal ajoutait des reflets cuivrés. Comme les longues mèches tombaient sur son visage, d'un mouvement de la tête, elle les rejeta derrière son épaule.

Gabriel tressaillit. Effectivement, ils ne s'étaient

jamais rencontrés mais il savait tout d'elle. Pourquoi ne l'avait-il pas tout de suite reconnue ? Elle était pourtant inoubliable.

Les lèvres pleines, attirant le baiser, et qui se détendaient si aisément en un sourire à faire fondre le cœur le plus endurci. Les yeux verts, si expressifs, sous le regard desquels tout homme s'interrogeait sur sa valeur. La crinière de cheveux aux riches tons cuivrés faite pour se répandre sur un oreiller ou sur une poitrine d'homme. Oui, naturellement, il la connaissait, comme toute personne fréquentant un tant soit peu les salles de cinéma.

— Vous êtes Faith Starr.

Elle détourna le regard.

— C'est mon nom de scène.

Parfaitement, Faith était une des actrices de cinéma les plus célèbres au monde. Elle avait la beauté, la richesse, la gloire, et il était inimaginable qu'un simple mortel comme lui l'invite à dîner. Encore que ça ne puisse nuire à sa réputation. Peu d'hommes à Berry Patch avaient eu la chance d'être repoussés par une actrice de renom.

— Est-ce que vous tournez un film dans la région ?

L'expression de Faith se durcit. Elle remit ses lunettes et sa casquette en place.

— Non.

— Qu'est-ce qui vous amène à Berry Patch ?

— Un de mes amis vit ici.

Bizarre. Il connaissait tout le monde en ville.

— Qui ? ne put-il s'empêcher de demander.

— Henry Davenport.

— C'est également un de mes amis.

Il vit la surprise se peindre sur ses traits.

— Vous êtes un ami d'Henry ?

— Je connais très bien sa femme.

Gabriel devinait ses pensées. Comment un modeste gars comme lui serait-il l'ami d'un milliardaire ?

— C'est la meilleure amie de ma sœur Theresa.

Un léger sourire joua sur les lèvres de Faith qui sembla se détendre un peu.

— Henry Davenport marié, futur père, exploitant agricole ; je n'arrive toujours pas à le croire ! Le Henry que je connaissais ne pensait qu'à prendre du bon temps.

C'était également la philosophie de Gabriel. Cependant, elle ne le comblait pas vraiment et il enviait secrètement Henry pour le bonheur qu'il avait trouvé à Wheeler Berry Farm. Quelques années plus tôt, Gabriel avait également cru rencontrer la femme de sa vie ; celle qui lui jurerait un amour éternel et désirerait fonder un foyer à Berry Patch.

Il s'était trompé.

— Henry et Elisabeth sont très heureux ensemble, fit-il remarquer.

— C'est ce que dit Henry.

Le sourire de Faith s'élargit, produisant un effet dévastateur sur Gabriel.

— Je meurs d'impatience de rencontrer sa femme !

Elle semblait sincèrement heureuse. Peut-être valait-elle mieux que son image de déesse de l'écran et de briseuse de cœurs le laissait supposer. Cependant, dès que son regard tomba sur le porche où dormait Frank, son visage se ferma.

Peut-être pas, après tout.

— Comptez-vous passer quelques jours en ville ? demanda Gabriel.

— En réalité, je projette de rester bien plus longtemps.

C'était un bien grand mot. Loin de l'excitation de la grande ville, au bout de quelques jours, elle s'ennuierait à périr. Comme son ex-femme.

— Je vais aimer cet endroit, ajouta Faith. C'est charmant.

— Attendez qu'il pleuve !

Elle changerait sans doute d'avis. Mais il suffirait pour cela d'une ou deux nuits dans le motel du bord de l'autoroute ou dans une des rustiques auberges de la région.

— Où êtes-vous descendue ?

— Ici.

— Comment cela, ici ?

Elle sourit.

— J'ai acheté cette maison.

Non…

— Addison, c'est votre patronyme ? bafouilla-t-il. F. S. Addison, c'est vous ?

— Faith Starr Addison, c'est bien moi. Starr est le nom de ma mère.

Elle fronça les sourcils.

— Comment le savez-vous ?

— Vous avez acheté cette maison à Mlle Larabee ?

Faith hocha la tête.

— C'est une femme charmante ; elle me rappelle ma défunte grand-mère. Nous avons dîné l'autre soir ensemble et regardé un de mes films. Elle était si heureuse que je lui signe un autographe ; c'était touchant…

Gabriel eut un haut-le-cœur en se rappelant la passion de Mlle Larabee pour le cinéma. Elle avait même rêvé autrefois d'être actrice. Il ne fallait pas chercher plus loin. Un dîner avec une star de l'écran, voilà l'offre « trop avantageuse pour être refusée ».

Cela n'expliquait tout de même pas pourquoi Mlle Larabee avait vendu la maison à Faith Starr alors que, depuis des années, lors de ses visites hebdomadaires, il lui confiait autour d'une tasse de thé ses rêves de restauration ainsi que ses projets d'y fonder un foyer.

Mais tout ceci ne pouvait sans doute pas rivaliser avec un dîner en compagnie de la « frivole et inconstante » Faith, ainsi que la nommaient les médias, qui, d'un sourire, avait le pouvoir de pulvériser les rêves des gens.

Elle poussa un soupir d'évidente satisfaction.

— Henry avait raison de prétendre que cette maison ferait un formidable Bed & Breakfast.

Sous le coup de l'émotion, Gabriel se figea.

— Vous avez demandé des conseils à Henry pour acheter une maison à Berry Patch ?

— Certainement pas ! Je n'en avais jamais entendu parler. C'est Henry qui m'a appelée à l'improviste. Et quand je lui ai fait part de mes projets immobiliers, il m'a vanté les mérites de Berry Patch, cette petite ville à vocation touristique nichée au cœur du vignoble.

Une vedette de cinéma se métamorphosant en

patronne de Bed & Breakfast ? Voilà qui n'était pas banal.

— Pourquoi souhaitez-vous investir dans l'immobilier ?

— J'ai toujours pensé me reconvertir dans l'hôtellerie.

— Je vous imagine mal tenir ce genre d'établissement.

Elle lui lança un regard de défi.

— J'ai beaucoup travaillé dans cette branche quand j'étais adolescente.

Elle sourit.

— Vous devriez goûter mon pain perdu !

Une invitation ? Ça n'y ressemblait pas. De toute façon, il aurait refusé. Elle représentait son pire cauchemar : le genre de femme que son ex-épouse avait rêvé d'être. Et, à présent, il allait travailler pour elle à la restauration d'une maison qui aurait dû lui appartenir...

— Et puis, Henry m'a envoyé des photos de cette maison. J'ai fait une offre le même jour et tout s'est passé si vite qu'on aurait dit l'œuvre du destin.

Pas du destin, bon sang ! De ce satané Henry.

Gabriel avait la sensation d'avoir un poignard fiché en plein cœur. Et la main qui tenait cette arme n'était autre que celle de son ami ! Un tumulte d'émotions

l'agita. Colère, frustration, sentiment de trahison…
Il serra les poings.

Tout cela par la faute d'Henry.

Mais non. Henry ignorait les projets de Gabriel concernant cette maison. Seules sa famille et Mlle Larabee étaient au courant.

— Quelque chose ne va pas ? demanda Faith.

Et comment ! Les notes du propriétaire qui souhaitait introduire des modifications résolument modernes et tape-à-l'œil aux plans de rénovation lui avaient déplu. Et maintenant, il savait pourquoi. Cette fille allait massacrer sa maison.

— Vous ne correspondez pas à l'image que je me faisais de vous.

— C'est généralement le cas, dit-elle, le regard lointain.

Puis ses traits se durcirent.

— Mais j'ai quelques questions à vous poser. Qui êtes-vous ? Et pourquoi votre chien dort-il sous mon porche ?

Soudain amer, Gabriel fut tenté de lui présenter sa démission. Il regarda la maison. Qu'est-ce qui était le plus important ? Faith ? Lui ? Non, c'était elle.

D'aussi loin que remontent ses souvenirs, son grand-père avait été obsédé par l'idée de la restaurer. Et il avait très vite partagé ce rêve. Chaque fois qu'il passait devant en bus pour se rendre à l'école, son désir grandissait. Mais, le jour où il avait accompagné son grand-père pour y réparer une fuite, quelque chose s'était produit, quelque chose qui allait au-delà de l'envie de posséder cette maison.

Alors qu'il n'avait que quatorze ans à l'époque, tous ses désirs s'étaient cristallisés au cours de cette visite : une femme, des enfants, un chien, cette maison. Une famille heureuse dans la maison idéale.

Une vie à l'opposé de celle qu'il menait.

Sa famille était loin d'être heureuse. Trop d'enfants, trop de travail, pas assez d'argent et une maison qui n'en avait que le nom.

Gabriel avait échafaudé des plans et tout mis en œuvre pour réaliser son projet. Dès l'obtention de son diplôme, il avait épousé la fille qu'il aimait. Juste après, sur sa liste, venaient les enfants. Mais sa femme n'avait pas voulu rester à Berry Patch. Lui n'avait pas voulu partir. Et ils avaient divorcé.

Il n'était pas pour autant prêt à renoncer à ses rêves. Contrairement à son père, Gabriel était persévérant. Et tant pis si sa femme était partie en emportant son rêve d'union heureuse, tant pis si Henry avait réduit à néant ses chances d'obtenir sa maison, tant pis si Mlle Larabee l'avait vendue à une autre.

Gabriel ne baisserait pas les bras.

Il devait rester fort, inébranlable, pour protéger la maison de l'influence néfaste de Faith.

Le premier étage avait déjà grandement souffert d'aménagements qui avaient altéré le caractère de la demeure, il ne permettrait pas qu'on l'abîme davantage. Ce qui se produirait immanquablement s'il suivait les suggestions de F. S. Addison. Gabriel ne se plierait pas à sa volonté. Il réussirait avec la maison Larabee là où son grand-père avait échoué sur la ferme paternelle, un amas de constructions disparates qui tenait lieu de foyer à ses parents.

En grandissant, Gabriel avait vu son père ignorer les suggestions de son grand-père concernant la restauration de la maison. Au lieu de concevoir un plan d'ensemble, son père s'était contenté d'entreprendre les travaux qu'il jugeait nécessaires dès qu'il réussissait à mettre un peu d'argent de côté mais, très vite, l'argent venait à manquer. Il y avait toujours un tracteur qui avait besoin de réparations ou quelque autre ennui, et les travaux étaient interrompus. Son père ne terminait jamais rien. La chambre de Gabriel était restée en plan jusqu'à ce qu'il l'achève lui-même quand il avait été plus grand. Pareil pour celle de sa sœur Cecilia. Sans lui, la maison serait restée un éternel chantier.

— Allez-vous vous décider à répondre ? demanda Faith d'un ton impatienté.

Sans doute n'avait-elle pas l'habitude qu'on l'ignore aussi ostensiblement. Le genre même d'attitude égocentrique à attendre d'une actrice. C'était toutefois une cliente. Et tant qu'elle ne se lasserait pas de la campagne et de la maison, d'une manière ou d'une autre, il lui faudrait bien la supporter.

— Frank dort sous le porche parce qu'il me suit partout, répondit-il sèchement. Je suis Gabriel Logan, l'entrepreneur que vous avez engagé pour restaurer la maison.

2.

Oh, non !

Qu'importait le monstre aux mâchoires puissantes, c'était son maître la véritable menace. Celui qui risquait de troubler sa tranquillité d'esprit, d'anéantir ses projets, de ruiner son avenir.

A ce moment précis, Faith se félicita de porter des lunettes dissimulant son expression.

— Vous êtes Gabriel Logan ?

Il acquiesça d'un bref signe de tête.

Elle le dévisagea. Il était loin de l'entrepreneur d'âge mûr, un peu chauve, qu'elle avait imaginé. Grand, des cheveux bruns bouclés, une beauté un peu rude avec de longs cils ombrant un regard bleu, de fines rides au coin des yeux adoucissant les angles durs du visage, une forte mâchoire et un nez de boxeur. Il portait un long short kaki et un T-shirt vert sur un corps mince mais musclé. Pas vraiment le style Armani mais le genre décontracté lui allait bien.

Son cœur se mit à battre plus vite. Ça commençait toujours comme ça. Un frisson de conscience de l'autre, une atmosphère d'anticipation… Les signes précurseurs des pires ennuis.

S'amouracher de ce type était bien le cadet de ses soucis. Elle était tombée amoureuse un nombre incalculable de fois sans jamais rencontrer le véritable amour, celui qu'elle constatait autour d'elle dans les couples de sa famille. D'aussi loin que remontent les souvenirs, pas de divorces ni de séparations dans la famille Addison. Et Faith ne tenait pas à inaugurer dans ce domaine. Inutile de rajouter à la liste déjà longue de ses échecs.

C'était pourquoi elle avait rassemblé ce qui lui restait d'argent pour investir dans son projet immobilier. Rénover une demeure ancienne serait plus simple que chercher le grand amour. Si elle ne rentrait pas dans les rangs de ceux qui avaient trouvé l'âme sœur, elle rejoindrait les siens dans la vaste entreprise de gestion d'hôtels qui avait pour nom Starr Properties.

Un métier beaucoup plus sain que celui d'actrice.

Faith prouverait à sa mère que, si elle avait commis des erreurs par le passé, elle était parfaitement capable de se débrouiller toute seule.

— Henry m'a beaucoup parlé de vous, dit-elle.

Mais pas assez. Elle voulait un entrepreneur capable, expérimenté et inoffensif. Celui-ci n'avait que deux qualités sur les trois requises…

— De vous, il ne m'a rien dit.

— Je lui avais recommandé la plus grande discrétion.

— Pourquoi ?

— Je ne voulais pas que vous acceptiez le chantier à cause de ma notoriété.

Il ne semblait pourtant pas appartenir à la catégorie de ceux que la célébrité fascine. Souvent, les hommes la traitaient différemment à cause de celle-ci et leur réaction la décevait encore plus qu'elle ne la blessait.

Elle ramena une mèche de cheveux sous sa casquette.

— Et je ne voulais pas que les journalistes aient vent de ma présence ici.

Son projet devait rester secret. Elle restaurerait la maison, la vendrait à Starr Properties sans que sa famille sache qu'elle lui appartenait et prouverait ainsi que non seulement elle était prête, mais que, de plus, elle était tout à fait apte à prendre sa place au sein de l'entreprise. Elle était une Addison tout autant qu'eux, même si elle n'avait jamais su le prouver.

Gabriel la regarda avec incrédulité.

— Vous vous figurez que je vais appeler la *Gazette de Berry Patch* pour me vanter de travailler pour une actrice célèbre ?

Il semblait vexé, dégoûté même. Cependant, Faith avait été si souvent confrontée aux paparazzi que, chez elle, la méfiance était devenue une seconde nature. Un tabloïd n'avait-il pas été jusqu'à payer un de ses ex-fiancés pour qu'il accepte de dévoiler leur intimité ?

— Ce n'est pas la *Gazette de Berry Patch* qui me préoccupe. Les tabloïds se montrent généreux et je ne veux pas de publicité.

— Je la croyais au contraire bienvenue dans votre métier.

— Essayez de restaurer une maison avec une meute de journalistes sur votre dos !

— Je n'ose même pas y penser.

— Vous comprenez donc que la plus grande discrétion est de rigueur.

En voyant la mâchoire de Gabriel se durcir, Faith se demanda ce qui avait motivé son soudain revirement. Quelques minutes plus tôt, il flirtait et lui proposait une sortie et maintenant il lui faisait la tête. Pas question qu'il dénonce leur contrat. D'après Henry, c'était le meilleur. Et comme elle ne pouvait se permettre la moindre erreur sur ce projet, un petit effort d'amabilité serait le bienvenu.

Elle souleva ses lunettes, les coinça sur la visière de sa casquette et essuya ses paumes moites sur son jean.

— Je suis heureuse de faire votre connaissance.

Pas de réponse.

Faith tendit la main. Une seconde s'écoula, puis une autre sans qu'il bouge. Finalement, sa grande main enveloppa la sienne. Sa peau était rêche, son étreinte ferme. Quand il la lâcha, elle en éprouva du soulagement. Il était trop fort, trop viril, trop… tout.

Elle attendit une banalité polie. Il demeura muet.

Un frisson d'appréhension la parcourut, qu'elle réprima bien vite. Gabriel s'était trompé de porte s'il croyait l'impressionner si aisément.

— Vous êtes donc un entrepreneur conventionné ?

Un signe d'acquiescement.

— Et vous possédez votre propre affaire ?

— Oui.

Une vraie porte de prison. Peut-être boudait-il parce qu'elle avait repoussé ses avances ?

Encore heureux qu'elle ait refusé son invitation !

Un instant, elle avait été tentée. Son comportement de preux chevalier volant au secours d'une demoiselle en détresse avait un côté plaisant. Cependant, pour une fois, elle n'avait pas envie qu'un héros romantique la prenne en charge. Une chance qu'elle ait écouté sa raison et non ses sentiments ; une grosse maladresse avait ainsi été évitée. Et elle agirait de même pour tout ce qui concernait Gabriel Logan.

— Combien d'employés avez-vous ?

— Quatre.

Si seulement elle parvenait à lui arracher autre chose que des monosyllabes...

— Merci de m'avoir envoyé les plans de restauration. Henry vous a-t-il remis mes commentaires ?

Un signe de tête.

— Avez-vous reçu les plans revus ? finit-il par demander.

Six mots. Un record.

— Oui, merci. J'aime beaucoup l'aménagement de la cuisine.

Le compliment ne lui attira pas la réaction escomptée. Il parut plutôt ennuyé.

— Avez-vous des questions ou des... modifications à apporter ? demanda-t-il.

— Oui, quelques-unes.

Pas mal, en réalité.

— Mes notes sont dans les dépendances.

Gabriel fronça les sourcils.

— Pourquoi les dépendances ?

— C'est là où je loge.

Après avoir payé la maison et mis de côté l'argent nécessaire aux travaux, elle n'avait plus les moyens de s'offrir l'hôtel.

— Je tiens à rester près du chantier, expliqua-t-elle.

— Ce sera sale et bruyant.

— Un peu de poussière ne m'a jamais gênée.

— Un chantier est à des années-lumière d'un plateau de tournage.

— J'ai travaillé dans la jungle, la montagne et le désert, et je ne logeais pas dans des palaces si c'est ce que vous insinuez !

Il ne répondit pas. Il s'était montré si chaleureux au premier abord que sa froideur en était plus glaçante encore.

— Les plans sont dans le pick-up, dit-il.

Il s'éloigna avant qu'elle ait pu répondre. Elle le suivit vers la façade de la maison non sans décrire un grand cercle pour éviter le porche où dormait sa mascotte.

Elle ne put s'empêcher de jeter un coup d'œil à

Gabriel qui parcourait l'allée à grands pas et elle sentit sa bouche se dessécher.

Elle se força à détourner la tête.

Que lui arrivait-il ? Cette réaction n'avait aucun sens. Toute sa vie, elle avait été entourée d'hommes séduisants mais sa kyrielle de partenaires et de fiancés avait su la dégoûter des physiques avantageux. Alors, pourquoi Gabriel Logan la troublait-il autant ?

Elle exhala un soupir agacé.

Gabriel consulta sa montre.

— Mes ouvriers arriveront un peu plus tard, annonça-t-il, mais je ne vais pas les attendre pour m'y mettre.

— J'aimerais participer aux travaux.

Comme d'habitude, elle faisait montre d'une assurance qu'elle ne possédait pas. Mais elle était actrice, n'est-ce pas ? Donc capable de jouer le rôle d'une femme d'affaires énergique et compétente.

Il la détailla de la tête aux pieds. A en croire l'éclat dur de son regard, sa présence lui posait problème. Mais Faith n'avait pas l'intention de se laisser décourager.

— A propos, je voulais vous remettre ceci…

De sa poche, elle sortit deux clés qu'elle tendit à Gabriel. Dans l'échange, leurs doigts s'effleurèrent et elle recula précipitamment sa main.

Il contempla un instant les clés et sa physionomie se ferma un peu plus.

— N'en avez-vous pas besoin ? demanda-t-elle.

— Si.

Pas de réaction. Pas même un remerciement.

— Il y a un problème ?

— Non.

Son expression, sombre, menaçante, devenait vraiment inquiétante. Un mauvais garçon, voilà ce qu'il était soudain. Et une vague de chaleur la parcourut.

Henry s'était trompé, songea-t-elle, en affirmant que Gabriel Logan était l'homme qu'il lui fallait. Ce ne serait une réussite ni dans le travail, ni, ajouta une petite voix, dans sa vie privée.

Debout sous le porche, Gabriel crispa ses doigts sur la clé. Mlle Larabee en conservait une cachée sous le porche arrière, ce qui avait permis à ses ouvriers d'entrer prendre les mesures, mais à présent, il avait sa propre clé… temporairement.

La mort dans l'âme, il l'enfouit dans sa poche et regarda Faith insérer d'une main tremblante la sienne dans la serrure.

— J'ai tellement hâte de voir l'intérieur !

— Vous n'avez donc pas visité la maison ?

— Non. J'ai été tentée d'y jeter un coup d'œil hier

soir mais il était vraiment tard quand je suis rentrée du restaurant.

Voilà que, en plus de tout, c'était à lui que revenait la mission de lui faire visiter les lieux !

Il éprouva une certaine fierté en entendant la porte glisser silencieusement sur ses gonds. Toutes ces années, il s'était chargé de l'entretien courant de la vieille demeure en attendant le jour où il pourrait procéder à une totale rénovation. Ce jour était finalement arrivé mais le rêve avait pris des allures de cauchemar.

Il crispa les doigts sur les plans. Si seulement Faith pouvait être déçue par la maison ! Si seulement elle pouvait regretter sa décision et disparaître !

Mais naturellement, les choses ne se passeraient pas ainsi. N'importe quel être humain normalement constitué tomberait amoureux de cette maison dès la première seconde…

Faith lui jeta un regard en coin.

— Je me sens passablement nerveuse.

Oui, eh bien, l'adjectif était insuffisant pour décrire l'état d'esprit de Gabriel. Il rêvait depuis si longtemps de faire franchir à sa femme le seuil de leur maison. Mais Faith Starr n'était pas sa femme, pas plus que lui n'était le propriétaire de la maison.

Quand elle posa le pied dans l'entrée, de toutes

ses forces, il souhaita que la maison l'avale et la recrache comme un vulgaire insecte, mais rien ne se produisit.

— Venez-vous ? demanda Faith, se retournant.

Avec un soupir, il franchit le seuil.

Faith s'extasiait déjà, comme prévu.

— Toutes ces fenêtres, et ces portes-fenêtres ! C'est tellement lumineux, et ouvert sur l'extérieur !

Elle lui rappelait ses nièces, éperdues d'admiration au beau milieu d'un magasin de jouets.

— Et spacieux ! Je ne me doutais pas que c'était aussi grand.

— Il y a un certain nombre de mètres carrés.

La présence de Faith remplissait pourtant l'espace. Elle le rendait aussi plus chaleureux. Son aura de star, sans doute.

— Les parquets sont plus foncés que je n'imaginais.

— Ils ont besoin d'être poncés.

Peut-être qu'en soulignant toutes les imperfections, il finirait par la décourager, se disait Gabriel.

— Ils sont quand même très beaux ! Ils donnent à la maison une touche chaleureuse.

Une souris traversa la pièce en courant. Toiles d'araignées et moutons poussiéreux n'étaient pas les seuls à avoir pris possession de la maison Larabee.

— Il faudra un chat, constata Faith.

Il s'était attendu à un cri de frayeur mais elle n'avait même pas tressailli. Ainsi, seuls les gros animaux à fourrure qui aboyaient l'impressionnaient. Bon à savoir.

— Il peut y avoir d'autres animaux tapis derrière les plinthes, dit-il en manière d'avertissement.

— J'appellerai un service d'extermination des nuisibles, répliqua-t-elle en souriant. Ou Frank.

Gabriel ne put retenir un sourire. Elle possédait un charme irrésistible, dont il ferait bien de se méfier. Après lui avoir volé sa maison, elle n'allait tout de même pas lui voler son cœur ?

Faith pénétra dans la salle de séjour située sur la gauche du hall d'entrée et tomba en admiration devant la cheminée et les poutres apparentes. Du moins appréciait-elle les points forts de la maison. C'était à porter à son crédit. Et s'il l'avait mal jugée ? Ce ne serait pas la première fois que ça lui arriverait.

— Oh ! Une deuxième salle de séjour.

Elle se dirigea à grands pas vers une pièce située cette fois sur la droite.

— Il y a aussi une cheminée ! C'est formidable : les clients auront le choix entre deux lieux pour s'installer et se détendre !

Les clients, pas les membres d'une famille. Son approbation n'était pas si bien venue, après tout.

Elle se tenait devant une fenêtre, près de laquelle il s'était souvent imaginé dresser un arbre de Noël pour ses enfants.

— C'est l'endroit idéal pour installer un sapin de Noël ! s'exclama-t-elle en désignant un coin de la pièce.

— Là où vous êtes me paraît un meilleur endroit.

Il se mordit la lèvre d'un air mécontent. Qu'est-ce qui lui avait pris de dire ça ?

Elle regarda autour d'elle.

— Vous avez raison.

Il ne voulait pas avoir raison. Pas plus au sujet du sapin de Noël, que de la maison ou de sa nouvelle propriétaire.

Quand Faith se déplaça, l'air sembla s'agiter autour d'elle. Comme un idiot, il faillit tendre la main pour vérifier.

Et la toucher, elle aussi.

— Je n'y crois pas ! Cet escalier est une pure merveille !

Le regard de Faith croisa le sien.

— Réussirez-vous à assortir les moulures et les plinthes s'il est besoin de les remplacer ? Le style

Craftsman est répandu mais ces motifs sont si anciens !

Son intérêt pour les détails plut à Gabriel qui se reprit pourtant. L'important, c'était le travail à accomplir, pas elle.

— Quand mon équipe et moi aurons terminé, vous serez incapable de voir la différence entre l'original et les réparations.

Il promena sa main sur un balustre du vaste escalier. Le bois poli était doux et massif. La maison était debout longtemps avant lui, et elle lui survivrait.

— Mon but, quand je restaure une maison ancienne, c'est de ne laisser aucune trace de mon passage. Il faut qu'on ait l'impression que c'était là de tout temps.

— C'est un but louable mais est-il réaliste ? Les gens ont des exigences de confort. Et le budget reste-t-il raisonnable ?

Comme si l'argent pouvait être un problème pour la célèbre actrice…

— Oui aux deux questions, répondit-il néanmoins.

Pourvu qu'elle se lasse de sa maison comme elle s'était lassée de ses fiancés successifs…

— Il est normal de s'attacher au charme et au caractère d'une maison ancienne sans pour autant

45

vouloir sacrifier à son confort, expliqua-t-il. Avec de la minutie et de la prévoyance, la restauration peut s'effectuer sans affecter l'intégrité architecturale d'une maison ni coûter les yeux de la tête.

Dieu seul savait pourquoi, la nouvelle parut la réjouir. Du bout des doigts, elle effleura l'inscription gravée en lettres dorées sur une plaque de chêne incrustée dans la pierre de la cheminée.

— « Les plus beaux ornements d'une maison sont les amis qui la fréquentent », lut-elle à mi-voix. N'est-ce pas parfait pour un Bed & Breakfast ?

Au goût de Gabriel, la devise s'appliquait plutôt à une maison familiale.

— Non.

— Que dites-vous ?

Piégé. Que ça lui plaise ou non, c'était elle la cliente. S'il la provoquait trop directement, elle était capable de confier le chantier à un autre entrepreneur. A cet imbécile de Scott Ellis, par exemple, qui se plierait à toutes ses volontés du moment qu'elle payait. Gabriel ne pouvait laisser accomplir un tel crime.

— La citation est d'Emerson.

Elle leva un sourcil.

— Vous ne semblez pas du genre à vous intéresser à la poésie.

46

— Je n'ai pas de genre. Je suis juste un gars qui gagne sa vie en plantant des clous.

L'amertume de la remarque parut lui échapper.

— Qu'est-ce qui vous intéresse ? demanda-t-elle avec intérêt.

Il glissa son pouce dans la ceinture de son short.

— L'architecture, la famille, les amis. Et mon chien.

Et vous.

Oui, elle lui plaisait, d'une façon qu'il refusait d'approfondir.

— Et vous ? demanda-t-il.

La question lui avait involontairement échappé.

— Ma famille. Surtout mes nièces et mes neveux. Et un endroit où protéger ma vie privée.

Il n'avalerait pas cette couleuvre. Berry Patch n'était pas son foyer. Elle n'y avait aucune famille. Bien sûr, elle pourrait y trouver un peu de l'intimité recherchée mais certainement pas en y tenant un Bed & Breakfast. Au fond, elle ne tenait peut-être pas tant que ça à ce projet ? A cette idée, il sentit renaître un vague espoir.

— Et vous pensez concilier vie privée et gestion d'un Bed & Breakfast ?

— Bien sûr ! Sinon, pourquoi aurais-je acheté cette

47

maison et engagé le meilleur entrepreneur pour la restaurer ? répliqua-t-elle d'un ton de défi.

Le compliment plut à Gabriel, mais sa détermination le surprit encore plus et éveilla sa curiosité. Préférant toutefois ne pas tout mélanger, il s'abstint de poser des questions.

Il la suivit dans la salle à manger. A la lumière du soleil qui baignait la pièce, ses cheveux paraissaient presque acajou.

Elle sourit.

— Les poutres sont superbes.

A contrecœur, il détourna le regard.

— Les portes-fenêtres donnent sur un porche arrière.

Elle y jeta un coup d'œil.

— C'est très intime.

Trop.

Il était temps de réagir. Il n'avait aucune envie qu'elle apprécie la maison ; tout au contraire, elle devait la détester et il savait comment s'y prendre pour parvenir à ce résultat.

Il se dirigea vers l'escalier de service.

— Voulez-vous visiter l'étage ?

3.

Consciente de la présence du trop bel entrepreneur derrière elle, Faith se hâtait de grimper les marches. Cependant, à mesure qu'elle s'élevait, l'air devenait de plus en plus lourd. Dans un film, une musique indiquant l'arrivée d'un désastre imminent aurait couvert le bruit de leurs pas et le public se serait enfoncé un peu plus dans son fauteuil.

Mais il ne s'agissait pas d'un film. Et tous ses sens étaient en alerte. Non qu'elle puisse se fier à son instinct. Une des nombreuses leçons reçues au fil des ans…

Un sifflement soudain déchira le silence et elle se figea si brusquement que Gabriel ne put éviter la collision. Il dut même prendre Faith par la taille pour l'empêcher de tomber. Au contact de ses grandes et fortes mains, un flot de sang monta aux joues de la jeune femme. Que lui arrivait-il ? Elle n'avait pas rougi depuis des années.

— Que se passe-t-il ? demanda Gabriel.

Il se passait beaucoup de choses et sans rapport avec la maison. La chaleur des paumes de Gabriel la brûlait à travers le tissu de son jean et c'était bon, oh ! si bon.

Mais tout à fait déplacé si l'on considérait l'enjeu.

— Faith ?

Son haleine lui chauffait la nuque. Il accentua la pression sur sa taille.

— Ça va ?

Evidemment que non ! Sa présence la troublait bien trop.

Elle se força à respirer.

— J'ai entendu un bruit, murmura-t-elle.

Quand il la lâcha, elle éprouva un étrange sentiment de regret et de soulagement mêlés.

— J'ai cru reconnaître le sifflement d'un serpent. Mais c'est idiot. Que ferait-il à l'étage ?

L'obscurité de la cage d'escalier lui dérobait l'expression de Gabriel.

— Mlle Larabee avait renoncé à monter l'escalier depuis des années, et je crains que vous ayez un choc en découvrant l'étage.

— Merci de me prévenir. Mais je ne me choque pas aussi facilement.

Désireuse de mettre un peu de distance entre eux, Faith se remit à grimper. Il était vrai qu'elle possédait une bonne dose de sang-froid. Même quand elle s'était retrouvée à participer à une émission de divertissement et qu'elle avait eu la surprise de voir apparaître trois de ses ex, elle ne s'était pas laissé démonter. Et on pouvait difficilement imaginer pire.

Du moins le croyait-elle.

Quand elle atteignit le palier, ses yeux s'agrandirent d'incrédulité. Le papier fané représentant des hortensias bleus et roses et le tapis usé jusqu'à la trame donnaient à l'endroit un aspect sombre et oppressant. Seuls quelques rayons de soleil rappelaient qu'on se trouvait à l'étage et non à la cave.

Et soudain, elle eut un mouvement de recul en voyant un serpent disparaître sous une porte. Puis ce fut un trio de geckos qui traversa le palier et le doute s'insinua dans son esprit. La maison était infestée de rongeurs et de reptiles, sans parler de son état d'abandon catastrophique.

Elle refoula les larmes qui lui piquaient les paupières.

Que faire ? Elle avait mis tout ce qui lui restait d'argent dans l'achat et la restauration de cette maison. Son budget était serré et elle devait compter sur Gabriel pour rester dans les limites prévues. Pouvait-elle lui faire confiance ?

Il ne l'aimait pas ; ça se voyait à son regard désapprobateur. Un de plus dsurla longue liste de ceux qui la jugeaient sans la connaître. En temps ordinaire, elle s'en serait moqué mais les circonstances étaient particulières.

Ne voulant pas laisser deviner son abattement, elle se redressa.

— D'accord, il y a du travail.

— J'attends avec impatience votre définition de l'expression.

Le ton était dur ; Faith l'ignora.

Elle était bien déterminée à obtenir un résultat dans les délais et sommes impartis, comme il le faudrait quand elle travaillerait pour Starr Properties. Elle tenait à prouver à sa famille qu'elle en avait fini avec les mauvais choix, tant dans le domaine sentimental que professionnel.

— Ma mère répétait volontiers qu'à cœur vaillant, rien d'impossible.

C'était cette devise qui lui avait permis de supporter les assauts frénétiques des médias, les ruptures, l'approche de la faillite et le déclin de sa carrière. Cependant, toute optimiste qu'elle était, sa mère ne la jugeait pas moins incapable de se prendre en main toute seule.

Rappelant à elle tout son courage, Faith aspira une profonde bouffée d'air qui la fit tousser tant il était vicié. Un mauvais présage ? Elle espérait bien que non. Car, si ce projet lui tenait terriblement à cœur, à cet instant, la tentation de rendre les clés, rejoindre la maison familiale de Lake Tahoe et admettre sa défaite était grande.

— Vous n'aurez aucun mal à revendre cette maison si elle ne vous convient pas, fit remarquer Gabriel.

Après tout, pourquoi pas ? A l'exception d'Henry, personne n'était au courant de son projet. Elle pouvait donc accepter ses limites et prendre un poste purement formel à Starr Properties en attendant que sa mère lui trouve un mari pour s'occuper d'elle.

L'idée la fit frissonner.

— Il n'est pas question que je renonce, dit-elle en redressant les épaules.

— Si vous êtes sûre de vous…

— Je le suis. Même si l'étage est…

— Dans un état épouvantable ?

— C'est cela.

— Humide, froid, envahi de vermine.

— On peut le dire.

— Sinistre.

— Un peu, mais c'est égal. Les transformations n'en seront que plus impressionnantes.

Gabriel l'étudia un long moment.

— Si cela peut vous consoler, c'est ce que j'ai ressenti lors de ma première visite. L'architecture m'a fortement impressionné et, au rez-de-chaussée, je me sentais…

— Chez vous ?

— Exactement.

C'était curieux, se disait Faith, Gabriel semblait prendre le projet de rénovation personnellement à cœur. Se comportait-il toujours ainsi ? Cela pouvait expliquer son excellente réputation.

— Mais quand on arrive à l'étage, on a l'impression de débarquer dans un film d'horreur.

— Exactement !

La remarque la soulagea. Elle n'était donc pas la seule à éprouver cette impression. D'un autre côté, cette convergence de points de vue avec son bel entrepreneur n'était pas une bonne chose pour autant ; elle avait besoin de prendre ses distances avec lui, pas d'avoir l'impression qu'ils appartenaient au même bord.

— Mais je vois le potentiel, ajouta Gabriel.

Elle aussi voyait chez lui un potentiel immense. Comme elle le dévisageait, son estomac se contracta.

— Bonne ossature, dit-il.

Elle tressaillit.

— Pardon ?

— La maison a une bonne ossature, répéta-t-il.

— Ah, oui !

Perdue dans ses rêveries, Faith avait oublié l'objet de leur discussion.

Elle imagina les murs absents et se focalisa sur l'ossature, puisque ossature il y avait, de la structure. Ses yeux se plissèrent. Dans son effort de concentration, elle se mit à loucher.

— Que vous arrive-t-il ? demanda Gabriel.

— J'essaie de voir le potentiel.

— Et ?

A vrai dire, Faith préférait de loin le regarder, lui.

— Je n'y suis pas tout à fait.

Elle en était très loin, même.

Gabriel esquissa un sourire. Pas exactement le sourire de séduction de tout à l'heure mais l'ogre semblait avoir renoncé à faire les gros yeux.

— Vous ne le voyez peut-être pas mais il est bien là, dissimulé sous ces immondes aménagements et malgré les lézards et les serpents.

Sa voix avait pris un ton presque respectueux et son regard s'était adouci. Faith sentit son cœur se serrer. Un jour, espérait-elle, un homme poserait sur elle un tel regard. Pas d'adoration ou de convoitise, mais de respect et d'approbation.

Une soudaine chaleur l'envahit et elle détourna le regard.

— Pourquoi le style de l'étage est-il si différent de celui du rez-de-chaussée ?

Elle crut lire le soulagement dans ses yeux.

— L'oncle de Mlle Larabee a réaménagé le premier sans tenir compte du style de la maison. Il voulait juste créer des espaces pour sa collection de reptiles.

— Ce qui explique la présence des geckos…

— Et des serpents. Certains membres de la famille de Mlle Larabee sont passablement excentriques.

Il fit signe à Faith de le suivre dans une des pièces. Un caméléon y était installé sur le rebord d'une fenêtre. Elle l'ignora. Les moulures et les encadrements des deux fenêtres à petits carreaux étaient peints en blanc, passé avec l'âge. Les portes également.

Elle sourit.

— Le blanc éclaire la pièce.

Les sourcils de Gabriel se froncèrent.

— Le blanc est une hérésie dans une maison de style Craftsman.

D'accord, elle s'était méprise. Il n'aimait pas

les moulures blanches. Quoi d'autre encore ? Les rouquines, les brunes ?

— Et si j'aime le blanc ?

— Trouvez une autre maison.

« Ou un autre entrepreneur. »

Bien qu'elle n'ait pas exprimé sa pensée, ces paroles demeurèrent suspendues entre eux.

Et maintenant ?

Gabriel semblait aimer la maison. Il possédait les meilleures références et son devis était moins élevé que ceux des autres entrepreneurs pressentis. L'indisposer aurait donc été de la dernière maladresse. Mais il se montrait si possessif avec cette maison. On aurait pu croire qu'elle lui appartenait ! Elle avait connu semblable situation à Hollywood où elle avait laissé à d'autres le soin de gérer sa carrière. Elle ne recommencerait pas avec *sa* maison.

Elle le considéra d'un air de défi.

— Je ne ferai rien qui nuise à l'esthétique de cette maison.

Un muscle tressauta à la mâchoire de Gabriel.

— Si vous le dites.

— Je le dis.

Il ne la croyait pas. Tant pis pour lui. Elle lui prouverait qu'il se trompait.

Gabriel Logan était un puriste en matière d'archi-

57

tecture. Très bien. Tant que ses talents serviraient la réputation de Starr Properties…

— Dites-moi tout de suite : où puis-je trouver la liste de ce qu'il est interdit de faire dans une maison Craftsman ?

— Tout est là, dit-il en désignant sa tête.

— Tout ?

Il hocha la tête, le regard noir.

— Je me souviens même vous avoir vu jouer le rôle d'une sirène…

Dans *Deep Waters*, évidemment. Le regard de Gabriel la mit mal à l'aise, comme si elle était nue.

— Je suis doublée dans les… euh… les…

— Les scènes déshabillées ?

Elle croisa les bras sur sa poitrine.

— Oui.

— Je me rappelais en fait le cran de la sirène. C'est sa psychologie qui m'intéresse, pas son anatomie. Ou plutôt celle de votre doublure.

Le compliment alla droit au cœur de Faith. Et tant pis s'il n'avait pas voulu se montrer aimable.

— Comment comptez-vous redonner à la maison son aspect initial ? demanda-t-elle.

Devant le sourire qui éclairait le visage de Gabriel, Faith sentit les battements de son cœur s'accélérer.

— Avec d'infinies précautions.

L'éclat de son regard disait que la question de Faith l'avait impressionné, enfin. Elle n'aurait pas dû s'en réjouir. Il n'y avait rien de personnel là-dedans. Si elle se le répétait suffisamment, elle serait peut-être moins émue.

— Il y a des années de ça, Mlle Larabee m'a confié les plans originaux. Ainsi, je connais les intentions de l'architecte.

— Pourquoi vous a-t-elle remis ces plans ?

Il parut chercher ses mots.

— Parce que je suis un amoureux de l'architecture Craftsman et que je… j'avais bonne envie de redonner à la maison son aspect originel.

Exactement les mots qu'elle souhaitait entendre.

— Nous avons donc tous deux intérêt à la réussite du projet.

— Exactement.

Le ton manquait d'enthousiasme, mais c'était un début.

Faith sourit.

— Alors, par quoi commençons-nous ?

— La chambre principale et la salle de bains.

Elle pénétra derrière lui dans une vaste chambre dont elle ignora les murs noirs, le plafond vert et les tarentules.

— J'en ferai une suite pour jeunes mariés, décréta-t-elle.

— C'est ce que j'ai cru comprendre d'après vos plans.

Il passa dans la salle de bains. Le carrelage de la douche et la baignoire à pieds donnaient à la pièce du caractère mais rouille et moisissure disputaient le terrain à la vermine. Des carreaux manquaient, d'autres étaient craquelés. Seules ses proportions sauvaient la pièce.

Pourtant, la présence de Gabriel diminuait singulièrement l'impression d'espace. Avec lui, la salle de bains paraissait presque intime. Et l'odeur de son savon qui enveloppait Faith comme un vieil ami rassurant, balayait les ignobles odeurs.

— Quels sont vos projets de décoration ? demanda Gabriel.

— Je voudrais en faire une pièce romantique avec marbre, double jacuzzi, lavabo à pieds, plomberie en or ou cuivre.

— Style victorien, en somme ?

— C'est ça.

Elle eut un élan de fierté. Elle avait longuement travaillé son projet pour ne pas laisser place à l'erreur.

60

— La chambre sera en harmonie. Lit de cuivre, rideaux de dentelle, meubles anciens.

Faith, qui attendait avec impatience les compliments de Gabriel, vit ses lèvres se pincer.

— Cette maison n'est pas de style victorien.

— Elle est de style Craftsman, je sais ! Mais cela ne concerne qu'une pièce.

Les narines de Gabriel frémirent.

— Chaque pièce fait partie du tout ; il faut une cohérence dans l'aménagement.

— La cohérence sera respectée grâce à la qualité des matériaux et à vos compétences.

— Vous croyez ? Je parie qu'oncle Larabee pensait que personne ne s'offusquerait qu'il découpe l'espace du premier ou pose du papier peint criard ou…

— … peigne en blanc les boiseries ?

— Exactement.

— Je vois.

Elle voyait mais n'appréciait pas du tout. Elle avait bûché dur sur ces plans et était en outre persuadée que ses projets de décoration seraient parfaits pour un Bed & Breakfast Starr Properties. Malheureusement, elle était bien obligée de faire preuve de souplesse. Et peut-être que de leur collaboration sortirait un projet encore meilleur…

— Qu'est-ce qui ne vous plaît pas ?

Tandis que Gabriel examinait sans mot dire les plans, Faith sentit son estomac se serrer.

— Vous n'aimez rien du tout !

Il releva la tête.

— Le lavabo sur colonne est une bonne idée.

— Et le reste ?

— C'est trop… apprêté.

Faith fut horriblement déçue. Son bébé n'était donc qu'un monstre affreux ?

— Le style Craftsman se caractérise par des lignes simples, des matériaux naturels, chaleureux, reprit-il, alors que le victorien est chargé, ostentatoire, excessif.

— Le style victorien est romantique, répliqua-t-elle avec acidité. Et cela me plaît.

Chacun ses goûts.

Leurs regards s'affrontèrent et le cœur de Faith fit un bond dans sa poitrine. « Reprends-toi, Faith ! se reprocha-t-elle. Ce n'est pas le moment de céder au charme de ton entrepreneur ! »

— Vous avez le Jacuzzi pour deux et le grand lit, fit remarquer Gabriel. Que vous faut-il de plus ?

« Vous. » Faith eut un haut-le-corps. Comme si elle avait besoin d'un homme pour se sentir épanouie !

— La tradition Craftsman n'est pas dénuée de

62

romantisme, insista Gabriel. Faites-moi confiance sur ce point.

Lui faire confiance ? Certainement pas ! Elle n'accorderait sa confiance à personne. C'était sa naïveté qui avait causé sa déroute financière, brisé sa carrière, anéanti son cœur…

Le regard de Gabriel fit le tour de la pièce.

— Restaurée convenablement, cette maison pourrait devenir une vitrine de l'art Craftsman…

Le purisme de Gabriel incluait donc la décoration intérieure. Il avait sa vision personnelle de la maison, dont il ne démordrait pas. Il semblait pourtant dangereux que son entrepreneur éprouve un attachement affectif vis-à-vis de la maison ou de son style architectural. Elle ne comptait pas vivre ici, seulement utiliser la demeure pour parvenir à un but dont elle ne se laisserait détourner à aucun prix.

— Il y a suffisamment d'amoureux du style Craftsman parmi les visiteurs du vignoble Willamette Valley pour que vous soyez assurée de crouler sous la clientèle, si elle est restaurée dans les règles de l'art.

— Je n'ai pas envie que cette maison devienne un musée ! rétorqua-t-elle vertement. Je veux que les voyageurs y trouvent un foyer à l'ancienne muni de tout le confort moderne !

— Vous pouvez avoir tout ça.

— Et je l'aurai, répliqua-t-elle d'un ton de défi.

Un muscle tressauta sur la joue de Gabriel. Ses yeux noircis disaient son mécontentement. Elle attendit sa réaction. Une part d'elle-même souhaitait qu'il parte avec éclat, l'autre le redoutait plus que tout.

— Vous m'avez engagé pour mes compétences, dit-il. Je ne fais que mon travail.

Faith soupira. C'était tellement plus qu'un simple projet de restauration à ses yeux. Il s'agissait de ses relations avec sa famille et de son avenir professionnel.

— Je suis la première à admettre que j'ai besoin de vos compétences.

— Je suis là pour vous aider.

Au ton de Gabriel, elle comprit qu'il avait dû prendre sur lui pour prononcer ces mots. Elle appréciait l'effort à sa juste valeur mais cela ne suffisait pas.

— Heureuse de vous l'entendre dire ! Et vous pouvez m'aider en écoutant mes propositions d'aménagement intérieur de *ma* maison.

Elle vit qu'il accusait le coup.

— Acceptez-vous mes conditions ? insista-t-elle. Ou dois-je chercher un autre entrepreneur ?

Une seconde passa, puis une autre.

— J'accepte.

Elle retint un énorme soupir de soulagement. Elle avait franchi une étape mais le but était loin d'être atteint.

— La décision finale devra m'appartenir.

— Très bien.

Ce qui signifiait, se rendit-elle compte avec un serrement de cœur, que les erreurs lui incomberaient également.

A la fin d'un déjeuner tardif avec Henry et Elisabeth Davenport à la Wheeler Berry Farm, Faith se laissa aller contre le dossier de son fauteuil.

— Alors, tu es content ?

— De quoi ? demanda Henry.

— De m'avoir recommandé Gabriel Logan.

— C'est un entrepreneur compétent et un charmant garçon, répliqua Henry en la dévisageant. Pourquoi ? Il y a un problème ?

— Oui. Non ! Peut-être…

Il sourit.

— Si c'est ainsi que tu traites avec tes fiancés, pas étonnant que tu n'arrives jamais à te jeter à l'eau.

— Très drôle.

— Non. Que tu sortes avec Rio Rivers et qu'il demande ta main en direct sur *Extra !* ça, c'était drôle !

— A ma place, tu ne dirais pas ça.

— Tu as eu le courage de refuser.

— J'avais surtout envie de lui casser la figure.

— Tu aurais dû. Il aurait eu une fois de plus recours à la chirurgie esthétique. Quel âge a-t-il déjà ?

— Vingt-deux.

Henry haussa un sourcil.

— Et toi ?

— Beaucoup plus ! Que veux-tu, j'ai eu le tort de poursuivre une aventure dans la vie réelle.

Une fois de plus.

Mais c'était la dernière. Fini le cinéma pour elle, de même que l'amour et les choix désastreux.

— Maintenant que tu as eu le plaisir de goûter à la chair fraîche, tu es prête pour le grand amour, dit Henry.

Le grand amour ? C'était bon pour les autres.

— Très peu pour moi !

Cinq ruptures, une sixième en perspective si, sous la pression des sunlights et des caméras braqués sur elle, elle avait accepté la demande intempestive de Rio. La seule idée de passer le restant de ses jours avec un homme lui donnait la nausée. Comment être sûre d'avoir trouvé le bon ?

Le regard noisette d'Henry s'assombrit.

— Mais tu es jeune, ma beauté…

Faith haussa les épaules.

— Ton horloge biologique va se mettre à cliqueter.

— Une minute ! Tu viens de dire que j'étais jeune !

— Tu l'es. Seulement, d'ici quelques années…

— Ne l'écoute pas, Faith ! intervint Elisabeth qui rentrait dans la pièce avec une tourte aux baies. Comme si je ne te voyais pas venir !

Le regard d'Henry s'adoucit en se posant sur son épouse dont le ventre s'arrondissait.

— Que veux-tu dire, chérie ?

— Tu joues encore les entremetteurs.

— Moi ? s'exclama Henry avec indignation. Autrefois, peut-être, mais c'est bien fini !

« Tant mieux », songea Faith.

— Tu n'essaies donc pas de me fiancer à Gabriel Logan ?

Henry ouvrit la bouche pour répondre mais Elisabeth le devança.

— La vérité ! exigea-t-elle.

— J'ai simplement présenté l'un à l'autre deux amis communs ! Faith a besoin d'un entrepreneur, Gabriel est entrepreneur.

Henry regarda sa femme.

— Ce n'est pas ma faute s'ils sont tous deux célibataires et si Gabriel aime draguer, un peu comme moi avant que je ne te rencontre.

— Je ne suis pas sûre que tu aies tellement changé !

Elisabeth se pencha et embrassa en soupirant le front de son époux.

— Ce qui veut dire que tu n'as pas renoncé au plaisir de marier les gens.

« Oh non, Henry », pria mentalement Faith. Il n'avait que ses intérêts à cœur, elle le savait, mais elle n'avait pas fui Hollywood pour se lancer dans une nouvelle aventure.

Ses épaules s'affaissèrent.

— C'est un coup monté.

— J'avais peut-être des motifs cachés en te parlant de Gabriel Logan, avoua Henry d'un air penaud.

— Enfin tu avoues ! s'exclama Elisabeth.

Faith aurait préféré connaître la vérité plus tôt. Car elle avait failli tomber dans le piège tendu par Henry. Gabriel était séduisant et elle ne pouvait nier sa première attirance, attirance qui, bien sûr, s'était dissipée quand elle l'avait mieux connu.

— Que suis-je censée faire maintenant ?

— Epouser Gabriel et vivre heureuse à Berry Patch, suggéra Henry. Ainsi, nos enfants joueront ensemble.

Faith et Elisabeth feignirent de n'avoir rien entendu.

— Trouver un nouvel entrepreneur, dit Elisabeth. Encore que Gabriel soit le meilleur à des lieues à la ronde.

Mais était-il le meilleur pour elle ? Il affirmait vouloir l'aider et elle était tentée de le croire. Seulement, elle hésitait à faire confiance à son propre jugement.

Peut-être s'apprêtait-elle à commettre la plus monumentale erreur de sa vie...

4.

— Je me mets à votre service, gracieuse damoiselle.

Le chevalier noir s'agenouilla aux pieds de Faith en lui tendant son épée. Son cœur se mit à battre la chamade. Elle avait tant envie de voir le visage dissimulé par la visière du casque. Il leva une main gantée de métal. Enfin, enfin, elle allait savoir…

Les murs vacillèrent. D'un bond, Faith s'assit dans son lit. Un tremblement de terre ? Elle cherchait des yeux l'issue la plus proche quand le vacarme cessa. Le cœur battant, elle attendit la secousse suivante mais rien ne se produisit.

Alors, les souvenirs refluèrent. Elle ne se trouvait pas dans les gradins d'un tournoi, attendant que son grand amour révèle son identité. Pas plus qu'en Californie, dans l'écrasante demeure des Hollywood Hills qu'elle avait possédée à une époque. Elle se trouvait à Berry Patch, Oregon, dans des dépendances reconverties en logement.

Faith frotta ses yeux fatigués et consulta le réveil.

7 h 30 du matin. Trop tôt pour se lever, surtout après avoir passé la nuit à lire des ouvrages sur l'architecture Craftsman. Elle avait eu l'impression de retourner des années en arrière, quand elle potassait ses cours en vue des examens. Bref, elle allait s'octroyer encore une petite heure de sommeil…

Le vacarme reprit. Cette fois la maison ne trembla ni ne craqua. Il s'agissait de coups de marteau.

A cette heure ?

Et soudain, elle comprit. Les travaux de restauration avaient commencé. Sans elle.

Elle bondit hors du lit. Elle avait prévu d'être sur le terrain avant l'arrivée de Gabriel et de son équipe, c'est-à-dire vers 8 ou 9 heures. Jamais elle n'avait pensé qu'ils attaqueraient si tôt.

Elle tira des vêtements de sa valise.

Après l'entretien tendu de la veille avec Gabriel, ce n'était pas du tout ainsi qu'elle envisageait le début des travaux. Elle voulait l'éblouir avec ses connaissances toutes fraîches de l'art Craftsman, sa détermination à obtenir un résultat parfait, et son savoir-faire en menuiserie acquis en travaillant sur un projet de rénovation avec son cinquième fiancé.

Pour le moment, toutefois, c'était raté.

Dans la salle de bains, elle jeta un coup d'œil de regret à la douche. Pas le temps ! Cinq minutes plus tard, elle se glissait dehors, les pieds chaussés de chaussures de sécurité achetées la veille chez Leonard Hardware. Elle n'avait pas prévu cet achat dans son budget mais il était indispensable. Gabriel Logan avait des principes et il n'était pas question qu'il la prenne en défaut sur le moindre détail.

Tandis qu'elle se dirigeait vers la maison, le vacarme s'accrut. Coups de marteau, bruits de voix, aboiements. Frank, sans aucun doute. Elle frissonna à l'idée d'affronter le monstre aux puissantes mâchoires mais poursuivit courageusement sa route. En réalité, elle redoutait bien davantage son propriétaire.

— Faith !

Elle reconnut instantanément la voix grave de Gabriel et tourna la tête.

Debout près de son pick-up, en short long, T-shirt vert, une ceinture à outils à la taille, il examinait les plans en compagnie d'une jolie jeune femme brune, en pantalon de grosse toile et chemise bleue.

Qui était cette jeune femme ? se demanda Faith. Et que faisait-elle avec Gabriel à une heure aussi matinale ? De les voir ainsi penchés sur les plans attisa chez elle une vague jalousie. Ce qui était ridicule. Gabriel n'était rien de plus que l'entrepreneur engagé pour restaurer sa maison. Pourtant, plus elle approchait du couple, plus son malaise grandissait.

Quand elle arriva près de Gabriel, l'odeur de son savon l'enveloppa et elle eut envie de se glisser dans ses bras pour qu'il la réchauffe.

Elle se secoua. D'accord, il sentait bon, et après ?

— Bonjour, Faith. Je voudrais vous présenter quelqu'un.

La jeune femme brune sourit. Elle était jolie avec sa peau claire et ses yeux bleus brillants et semblait parfaitement à l'aise près de Gabriel. Mais leurs relations ne la concernaient en rien, enfin, tant qu'elles ne nuisaient pas à la qualité du travail de Gabriel, rectifia-t-elle.

— Vous êtes plus jolie en vrai, dit la jeune femme.

La poitrine de Faith se serra. Gabriel aurait-il dévoilé son identité à la jeune femme ? Elle lui avait expliqué son souci d'incognito et avait supposé qu'ils s'étaient compris, mais ce n'était peut-être pas le cas.

— Merci, dit-elle avec un sourire de circonstance.

Elle tendit la main à la jeune femme.

— Faith Addison.

— Kate Logan, dit celle-ci en lui serrant la main.

Logan ? Faith savait garder le sourire en toutes circonstances, mais, au fond d'elle-même, la colère gronda. Gabriel était marié et il lui avait proposé de sortir avec lui la veille ! Si l'idée l'avait effleurée que ce puisse être lui qui se cachait sous l'armure du chevalier de ses rêves, elle pouvait définitivement la chasser.

L'infect personnage !

Naturellement, la nouvelle n'aurait pas dû autant la surprendre. Elle savait depuis longtemps que les hommes séduisants sont souvent des monstres au cœur de pierre, ce qui ne l'empêchait pas de plaindre Kate de tout son cœur.

— Depuis combien de temps êtes-vous mariés, Gabriel et vous ?

Ce dernier éclata d'un rire dont le son lui écorcha les oreilles plus douloureusement que le « coupez ! » du réalisateur pendant le tournage d'une scène cruciale. Franchement, l'adultère ne l'amusait pas particulièrement.

— Ne faites pas attention à mon frère, dit Kate. Il est souvent comme ça.

Le regard de Faith alla de Kate à Gabriel puis revint sur la jeune femme. Tous deux avaient les yeux bleus, ceux de Gabriel plus foncés, les cheveux bruns, mais elle était petite alors que Gabriel était grand.

— Vous êtes la sœur de Gabriel ?

Kate hocha la tête.

— Il est obligé de me supporter.

— J'ai bien essayé de me débarrasser d'elle, dit Gabriel avec un clin d'œil, mais, jusqu'ici, rien n'a marché.

Kate lui donna une bonne tape sur le bras.

— Je te manquerais si je n'étais pas là !

Un étrange soulagement envahit Faith, en même temps qu'elle éprouva un regain d'attirance pour Gabriel. Manifestement, il était très attaché à sa sœur.

— Ce sont tes talents de dessinatrice qui me manqueraient, riposta-t-il en roulant les plans. C'est Kate qui les a dessinés, ajouta-t-il à l'intention de Faith.

— Il préfère travailler en famille ; ça coûte moins cher !

Gabriel tendit les plans à Kate.

— Je m'en souviendrai lorsqu'il sera question d'augmentation de salaire.

— Je n'en doute pas, grand frère.

L'échange affectueux entre frère et sœur ravivait chez Faith le souvenir de ses aînés, Will et Mary. Ils lui manquaient tellement ! Heureusement, elle les verrait quotidiennement quand l'aménagement du Bed & Breakfast serait terminé. La pensée amena un sourire à ses lèvres.

— Ainsi Logan Constructions est une affaire de famille ?

— En quelque sorte, répondit Gabriel. Bernie fait également partie de l'équipe.

— Notre sœur, précisa Kate. Elle terminait un chantier ce matin. Elle sera là tout à l'heure.

— Bernie est maître charpentier, expliqua Gabriel. Presque aussi bonne que…

— Vous ?

Faith leva un sourcil.

— … Cecilia, ma sœur aînée, répondit Gabriel, sans relever. Mais elle a raccroché le marteau pour suivre les traces de notre père et se lancer dans l'agriculture.

Kate, Bernie, Cecilia. Et il avait mentionné hier une certaine Theresa…

— Vous avez quatre sœurs ?

— Cinq.

Et, comptant sur ses doigts, il énuméra :

— Cecilia, Kate, Theresa, Bernie et Lucy.

Faith se surprit à envier ses sœurs, même si elle parvenait à se faire une image assez réaliste de leur vie de famille. A moins que leur maison ne dispose de cinq salles de bains, partir à l'heure le matin devait représenter un vrai cauchemar.

— Y a-t-il des frères Logan ?

— Pas le moindre ! Le petit Luke prévu lors de la dernière grossesse de ma mère s'est transformé en Lucy à la naissance. J'aime mes sœurs mais j'avoue qu'un frère aurait été le bienvenu.

— C'est ce que dit mon frère ! expliqua Faith. Mais je vais lui expliquer qu'il aurait pu tomber plus mal.

— Beaucoup plus mal, en effet ! A propos, il faut que vous sachiez, Lucy est une de vos fans incondi-tionnelles. Alors, méfiance. Elle a dix-sept ans et…

— Elle est adorable, coupa Kate. Elle a juste tendance à s'exciter et réagit parfois de manière excessive.

— Comme beaucoup d'adolescentes, souligna Faith, qui était passée par là également.

— Je vous aurai prévenue ! s'exclama Gabriel.

— Je m'en souviendrai.

— C'était presque trop facile.

A la lumière du soleil, le bleu de ses yeux fonçait. Faith eut tout à coup du mal à respirer. Ce n'était pas si facile. Qui la mettrait en garde contre le charme de Gabriel ?

— Tout est toujours trop facile pour lui ! dit Kate. Ne vous laissez pas influencer, Faith !

Mais Faith demeurait immobile, tel un lapin prisonnier de la lumière des phares.

Et le moment s'éternisait…

— Je retourne au bureau, annonça Kate, rompant le charme de l'instant. Ravie de vous avoir rencontrée, Faith. A plus tard, Gabriel.

Avant que Faith ait pu répondre, Kate avait déjà disparu en direction de la rue.

— C'était une visite éclair.

— Kate est toujours en train de courir.

Gabriel examina Faith.

— Mais dites-moi, vous voilà bien matinale ! Des projets pour la journée ?

Elle hocha la tête.

— Je veux participer aux travaux.

Une seconde passa, puis une autre. Il allait l'envoyer promener, elle le pressentait. Elle se raidit.

Gabriel examina ses pieds.

— Bien sûr, dit-il enfin. Mais dans ce cas, il faudra porter un casque.

— D'a… ccord.

Elle était presque déçue. Elle s'était attendue

à négocier âprement sur ce point et se retrouvait frustrée par l'absence d'affrontement.

— J'en ai un dans le coffre, ajouta-t-il.

— D'accord.

On aurait dit un jouet cassé qui répétait sans cesse le même mot. Une fois de plus, Gabriel l'avait prise au dépourvu. Lequel était le vrai Gabriel ? se demanda-t-elle. Le gentil garçon, flirteur et espiègle, rencontré au pied de l'arbre, le ronchonneur qui détestait ses projets d'aménagement ou le grand frère affectueux ?

Il revint du pick-up, un casque à la main.

— Merci.

Son regard tomba sur ses pieds.

— Ce sont des chaussures neuves ?

Elle redressa les épaules.

— Oui.

Une émotion — approbation ou amusement ? — passa dans son regard.

— Très bien.

— Merci.

Mes aïeux, quel progrès ! Gabriel avait pris à cœur ses propos de la veille. Peut-être réussiraient-ils à s'entendre, après tout.

— Nous avons deux ou trois détails à mettre au point, expliqua-t-il.

— Oui ?

— Vous mentionniez hier les limites du budget mais vous devez comprendre que le temps, c'est de l'argent. Si vous voulez travailler sur la maison, il n'est pas question que vous bénéficiiez d'un régime de faveur. Nous perdrions du temps et donc…

— De l'argent, termina-t-elle.

Le regard de Gabriel s'attacha au sien.

— C'est bien compris ?

Elle hocha la tête et attendit la suite en retenant sa respiration. Cependant, il désigna la maison.

— Dans ce cas, mettons-nous au travail.

Gabriel se dirigea vers la maison, se forçant à ralentir le pas pour que Faith reste à sa hauteur. Et voilà. Ce n'était que le début et, déjà, elle lui faisait perdre son temps !

Au cours des années, il avait eu affaire à suffisamment de clients qui tenaient à « mettre la main à la pâte » pour savoir que la présence de Faith sur le site serait source d'ennuis et d'un surcroît de travail. Mais évidemment, il garda pour lui ses réflexions.

Si elle y tenait tellement, il ne l'empêcherait pas de participer. Après avoir perdu son sang-froid la veille, il devait tenter de rattraper la situation. Son petit doigt lui soufflait qu'elle n'hésiterait pas à le congédier au gré de son caprice.

Car il s'agissait bien de caprice.

Une fille comme Faith ne tiendrait pas le coup face à un vrai travail comme celui qu'il envisageait de lui confier. Une fille comme Faith préférait passer sa journée à faire du shopping, se rendre dans des instituts de beauté ou goûter les crus de la Willamette Valley. Et plus tôt elle en arriverait à la même conclusion, mieux ce serait. Et si elle se rendait compte que Berry Patch et la maison Larabee n'étaient pas sa tasse de thé, ce serait encore mieux.

— Hum, Gabriel ? Des amis à vous ?

Il leva les yeux. J.T., le charpentier, se tenait à la fenêtre de la salle de séjour, le regard rivé sur Faith. Près de lui, Eddie l'apprenti de dix-neuf ans aux grands yeux ronds, bouche bée.

Comme s'il avait besoin de deux abrutis pour faire avancer le travail ! Il fit la grimace. Il ne tolérerait aucune entorse au code des relations de travail.

— J'espère qu'ils ont une bonne excuse pour se trouver dans la maison, dit Faith.

— Excellente.

Sauf que Gabriel les payait pour travailler, non pour bayer aux corneilles.

— J.T. est charpentier, expliqua Gabriel, et Eddie son apprenti. Ce sont de bons petits gars.

Mais des gars quand même. Jeunes, célibataires,

pleins de toupet. Ajouter Faith au cocktail risquait de former un mélange détonnant. Gabriel fourragea dans ses cheveux.

Même s'il détestait l'admettre, il comprenait leur réaction. Qui ne se serait extasié devant elle ? Elle était si mignonne avec ses cheveux tombant en cascade de sous son casque sur ses épaules et son visage exempt de maquillage. Il s'était attendu à ce que, en prévision de son public, elle soigne tenue et maquillage, mais pas du tout. Son teint était aussi naturel que la veille. Et elle portait, comme la veille, un jean et un T-shirt blanc.

— J'ai hâte de faire leur connaissance, déclara-t-elle.

Il s'attendait à des sarcasmes mais elle semblait plutôt amusée par les deux hommes qui se bousculaient pour avoir la meilleure place à la fenêtre.

— Soyez assurée qu'ils partagent votre sentiment.

Faith souleva ses lunettes.

— Souhaitent-ils rencontrer Faith Addison ou Faith Starr ?

Où était la différence ? se demandait Gabriel. A la réflexion pourtant, il jugea plus prudent de ne pas s'aventurer sur ce terrain.

— Faith Addison, bien sûr. Ils savent qu'ils ne doivent parler de Faith Starr à *quiconque*.

Il avait insisté sur le dernier mot sans pour autant paraître la convaincre. Il ne pouvait l'en blâmer. Lui-même n'excluait pas la possibilité que J.T. se fasse mousser en clamant haut et fort qu'il connaissait Faith Starr.

J.T. et Eddie jaillirent de la maison, une expression niaise plaquée sur le visage. Le premier prit une pose qui faisait très certainement sensation auprès de ses groupies de l'équipe de base-ball de Davenport.

— Bonjour ! lança Faith.

Les joues déjà colorées d'Eddie rougirent un peu plus.

— Bon... jour.

Elle grimpa les marches à leur rencontre.

— Faith Addison !

J.T. pencha la tête et projeta son bassin en avant dans une étrange imitation d'Elvis Presley.

— J.T. Beauchamp pour vous servir.

— Je suis Eddie Mallery, enchaîna celui-ci d'une voix tremblante. *Deep Waters* est mon film préféré. J'adore quand vous nagez avec votre queue de sirène et grimpez toute nue sur le bateau. Je veux dire...

Ah ! stupide jeunesse. Gabriel soupira.

— Faith sait ce que tu veux dire, Eddie.

— Vraiment ?

Elle hocha la tête.

Un soulagement mêlé d'embarras se lut sur le visage du pauvre garçon.

— Si vous avez besoin de quelqu'un pour vous montrer les environs, je suis votre homme, Faith, s'empressa J.T.

Il n'y allait pas par quatre chemins ! Quelle serait l'étape suivante ? Un strip-tease, pour qu'elle puisse examiner la marchandise ?

— Au travail, tous les deux ! ordonna Gabriel.

— Ravi de vous connaître, bredouilla Eddie. Au revoir.

J.T. leva un sourcil.

— A plus tard, bébé.

Ils disparurent à l'intérieur. Une chance, car la patience de Gabriel était à bout.

— Au cas où vous vous poseriez la question, ils sont inoffensifs. S'ils vous importunent, il suffit de les chasser de la main, comme vous feriez d'une mouche.

Devant la surprise de Faith, il ajouta :

— C'est mieux que de les écraser comme des moustiques, non ?

Elle fit courir un doigt sur une pièce de bois sculpté du porche.

84

— Mieux pour qui ?

Il sourit.

— Vous savez, je suis sérieux : j'ai vraiment exigé de mon équipe le silence sur votre présence ici ainsi que sur votre projet. Je les ai menacés de représailles, si ça peut vous rassurer.

Les doutes de Faith s'envolèrent, remplacés par une chaude gratitude.

— Merci !

— C'est normal.

— A propos d'inoffensif, où est Frank ?

— Attaché sous le porche.

Elle posa une main tiède et douce sur son bras.

— Merci.

Gabriel ne savait ce qui le touchait le plus, de la reconnaissance que lui manifestait Faith ou de l'émoi qui naissait au contact de sa main sur sa peau nue.

— Pas de problème.

En réalité, il détestait attacher Frank mais ne pouvait risquer des ennuis à cause de lui. Que cela lui plaise ou non, s'il voulait conserver le chantier, il lui fallait tenir compte des desiderata de Faith.

— Frank s'y habituera. Ou vous vous habituerez à lui.

Sans répondre, elle retira sa main de son bras.

« Pense à la maison », s'exhorta Gabriel.

— Ou peut-être pas…

Devant le petit sourire qui jouait sur les lèvres de Faith, sa gorge se noua. Comme si c'était le moment, alors qu'il marchait sur des œufs, sachant que se serait la catastrophe si l'un d'eux venait à se briser !

Mais tout irait bien. Il lui suffisait de se reprendre. A ce moment, Faith rejeta ses cheveux en arrière et il eut la sensation de recevoir un direct en plein plexus solaire.

Et puis, il se raisonna. Ce qu'il éprouvait était normal. De même pour J.T. et Eddie. Faith était une femme superbe avec ses magnifiques cheveux longs, son sourire à faire damner un saint. Il ne serait pas un homme s'il ne se sentait pas attiré par elle. Enfin, attiré était un bien grand mot. Il était conscient de sa présence, voilà tout.

Maintenant qu'il avait mis un mot sur ses émotions, ce serait plus facile de les intégrer et de faire en sorte qu'elles ne nuisent pas au travail.

— Vous serez peut-être contente de savoir que nous sommes déjà en avance sur les prévisions. Hier après-midi, Eddie a démonté les installations électriques, la plomberie et couvert les sols pour les protéger.

— Je n'ai remarqué aucune présence.

— Vous n'étiez pas là.

Le nez de Faith se plissa.

— Oh ! c'est vrai, s'exclama-t-elle. J'ai déjeuné avec Henry et Elisabeth et, au retour, je me suis arrêtée à la bibliothèque.

Elle pénétra dans l'entrée au sol recouvert de toile goudronnée et poussa un hurlement.

— Qu'est-ce que vous avez fait ! Tout est par terre !

Gabriel sursauta. J.T. et Eddie accoururent.

— Retournez au travail ! leur intima Gabriel.

Par chance, ils obtempérèrent sans demander leur reste. Inutile qu'ils ajoutent par leur présence à la tension ambiante.

— Nous sommes en phase de démolition, expliqua-t-il le plus calmement qu'il put.

— Pour ça, il n'y a pas d'autre mot ! Vous êtes censé restaurer la maison, pas la détruire ! ajouta-t-elle, hors d'elle. On dirait qu'une bombe a explosé ici !

— C'est vrai. J'aurais pu vous éviter ce choc en vous expliquant les différentes étapes.

— Il n'y a plus de murs !

— Restaurer ne signifie pas rafistoler et repeindre. Regardez, ces murs sont faits de lattes et de plâtre. Comme ils sont abîmés, il faut les remonter entiè-rement et il faut profiter de l'occasion pour faire passer les nouveaux tuyaux et les fils électriques à l'intérieur.

Il marqua une pause pour juger de l'effet produit. Elle ne semblait pas convaincue. Alors, patiemment, il expliqua point par point leur manière de procéder sans voir aucun soulagement se peindre sur le visage livide de Faith. Il devait pourtant lui faire comprendre la nécessité de cette étape.

— De plus, c'est la manière la plus économique de procéder, conclut-il.

— La plus économique ?

Il hocha la tête.

— Et celle qui respecte le mieux le style.

— Oh...

Gabriel attendit qu'elle précise sa pensée mais, sans rien ajouter, elle ajusta son casque et sourit.

— Nous perdons du temps à discuter. Montrez-moi ce que je dois faire.

Dans son regard, il lut une nouvelle détermination. Après tout, elle n'était peut-être pas qu'une splendide créature gâtée, jouant un rôle en permanence. Et si c'était vrai, la pousser à quitter cet endroit serait plus malaisé qu'il ne l'avait tout d'abord supposé.

5.

— Beau travail, Faith, dit Eddie, de la porte de la véranda.

Quand Faith laissa tomber les derniers morceaux de lattis et de plâtre dans la brouette, un nuage de poussière s'éleva et retomba sur elle. Pour une fois, elle n'était ni l'actrice de cinéma choyée, ni la petite sœur qu'on protège. Elle faisait tout simplement partie de l'équipe de Gabriel, au même titre que les autres.

De sa main gantée, elle ôta son masque.

— Merci !

— Non, merci à vous, rectifia Eddie avec un grand sourire. Si nous sommes en avance sur les prévisions, c'est grâce à vous.

La remarque lui fit chaud au cœur. Elle avait certainement commis quelques maladresses mais elle était la première surprise de la quantité de travail qu'elle avait abattue.

— Vraiment ?

— Vraiment.

Elle sourit. La semaine s'était écoulée dans un nuage de plâtre. Cinq jours à manier le maillet et charrier les gravats hors de la maison l'avaient épuisée ; ses muscles et son dos étaient douloureux, écorchures et éraflures marquaient ses bras. Mais les compliments d'Eddie lui mettaient du baume au cœur.

— Dans ce cas, mieux vaut que je me remette au travail.

— Moi aussi…

Eddie jeta un coup d'œil derrière lui.

— … avant que le chef ne m'accuse de tirer au flanc !

Elle saisit les poignées de la brouette et se dirigea vers la rampe installée sur l'escalier du porche arrière. Des gouttes de sueur ruisselaient le long de son dos et mouillaient les mèches tombées sur son visage. Pour comble de malchance, une vague de chaleur frappait l'Oregon cette semaine.

Tout en se dirigeant vers la benne, elle jeta un coup d'œil en direction du porche de la salle à manger où Frank était allongé sur une couverture à l'ombre, des croquettes et de l'eau à sa portée. Il posa sur elle un regard triste mais ne s'assit ni n'aboya. Elle n'en décrivit pas moins un large arc de cercle. Elle aurait fait n'importe quoi pour éviter toute confrontation avec le chien.

Après avoir déversé les gravats dans la benne, Faith s'assit sur les marches du porche de devant. Elle repoussa les mèches collées par la sueur à son visage et but à longs traits l'eau glacée d'une bouteille. Malgré la fatigue et le désagrément occasionné par ses muscles douloureux, elle appréciait le travail physique.

La maison paraissait toujours se relever d'un bombardement, mais elle comprenait maintenant pourquoi. Et si son corps souffrait du travail manuel, son esprit s'enorgueillissait de l'œuvre accomplie.

Elle pressa la bouteille contre sa joue.

Le porche craqua. Les sons de la maison lui devenant familiers, elle n'eut pas à se retourner pour savoir que quelqu'un se trouvait derrière elle, ni d'ailleurs qui était cette personne.

— J'en ai terminé avec la véranda, annonça-t-elle.

— Ce qui nous avance bien.

Pas de compliments de la part de Gabriel Logan. Elle appréciait toutefois sa déontologie et était maintenant persuadée qu'elle n'aurait pu mieux tomber. Elle en avait plus appris en un jour qu'après une semaine à restaurer un immeuble pour personnes défavorisées avec son fiancé numéro cinq.

Gabriel s'assit près d'elle.

— Comment vont vos mains ?

— Très bien, grâce aux gants d'Elisabeth.

— Je peux y jeter un coup d'œil ?

La question la surprit. Une fois que Gabriel lui avait expliqué en quoi consistait son travail, il passait de temps à autre vérifier que tout allait bien sans jamais s'attarder. Pas de bavardages oiseux, ni de déjeuners en sa compagnie ; rien que le travail. Ce qui convenait parfaitement à Faith.

— Bien sûr.

Il avait probablement les mêmes attentions pour les autres membres de l'équipe. Après tout, un ouvrier blessé est un ouvrier inutile. Faith posa la bouteille et lui tendit ses mains.

Les sourcils de Gabriel se froncèrent.

— Ça ne vous ennuie pas que j'y regarde de plus près ?

— Euh, non.

Il examina avec soin ses paumes, puis chaque doigt, l'un après l'autre. Sa peau était calleuse contre la sienne, mais son contact doux, rassurant, étonnamment tendre, même.

— Vos mains vont bien, mais il faut vous montrer prudente…

Faith hocha la tête. Prudente, certes. Sauf que ce n'était pas ses mains qu'il fallait protéger. La proximité de Gabriel influait dangereusement sur la sensibilité de ses terminaisons nerveuses, la rapidité de son pouls et la régularité de sa respiration.

Elle s'humecta les lèvres.

— … ou prendre quelques jours de congé.

— Vous insinuez que je ne sers à rien ?

— Pas du tout. Simplement, ce n'est pas drôle d'avoir des ampoules.

A vrai dire, s'il prenait soin d'elle, elle ne s'en plaindrait pas.

— Elisabeth m'a raconté les débuts difficiles d'Henry à la ferme.

— Vous a-t-elle parlé des abeilles ?

Son air amusé intrigua Faith. Les sourires de Gabriel étaient si rares. Ah ! elles étaient loin ses manières flirteuses du premier jour.

— Non.

— Demandez à Henry de vous raconter.

— Je n'y manquerai pas.

Baissant les yeux, elle se rendit compte que Gabriel tenait toujours sa main. Le geste paraissait si naturel qu'elle n'y avait même pas pris garde. Qu'en était-il pour lui ?

Le rouge aux joues, elle lui retira sa main, saisit la bouteille d'eau et en termina le contenu. Gabriel semblait ne s'être aperçu de rien. Sans doute montait-elle en épingle des détails insignifiants.

— Vous avez passé beaucoup de temps chez Henry et Elisabeth, fit-il remarquer.

Ce n'était pas une question mais une affirmation. Cela l'intrigua. Comment savait-il ce qu'elle faisait de ses journées ?

— J'ai pris un bain ! L'eau chaude a fait du bien à mes courbatures.

— Est-ce que je vous fais travailler trop dur ?

Pas question qu'il suppose qu'elle se plaignait ! Il serait trop heureux de sauter sur le prétexte pour l'exclure de l'équipe.

— C'est juste un travail différent de celui auquel je suis habituée.

— Vous pourriez installer une baignoire dans les dépendances.

Du temps où elle était riche et célèbre, elle aurait pu s'offrir ce luxe. Mais à présent, une bassine et un tuyau d'arrosage seraient plus en rapport avec son budget.

— Je n'y suis pas seulement allée pour prendre

un bain. J'avais envie de les voir. Ce n'est pas bon de passer toutes ses soirées solitaires. On vieillit plus vite !

— Vous devriez sortir, dit Gabriel. Visiter la ville.

Faith aurait bien aimé. Aller à la Vigne, par exemple, une taverne locale dont lui avaient parlé J.T. et Eddie, goûter la tourte aux baies du bistrot du coin, boire un milk-shake chocolat noisette à la crèmerie. Mais elle ne voulait pas prendre le risque d'être reconnue.

— Plus tard, peut-être.

Les travaux terminés et la maison vendue à Starr Properties, elle n'aurait plus besoin de garder l'incognito. Bien sûr, ça signifiait encore des semaines de solitude.

Elle se mit à déchirer l'étiquette de la bouteille avec son ongle. Elle n'avait pas envie de croiser le regard de Gabriel ni de lui céder du terrain.

— Pourquoi pas ce soir ?

Elle leva les yeux sur lui, le cœur battant.

— Ce soir ?

Il hocha la tête.

— Vous allez chez Henry ?

— Nous n'avons pas fait de projets.

— Vous ne pouvez pas rester toute seule un vendredi soir, décréta Gabriel.

Voilà qu'il l'invitait à sortir avec lui ! Elle se raidit. Elle avait tellement envie d'accepter.

— Je…

Elle avait de nouveau treize ans, et la langue empâtée par la maladresse. Ah ! elle aurait donné cher pour avoir un script sous la main.

Il sourit, ce qui eut pour effet d'accentuer de façon charmante les ridules du coin de ses yeux.

— Vous avez besoin d'une pause, vous le savez comme moi.

Malgré elle, Faith hocha faiblement la tête. Elle se trouvait pathétique, mais tant pis.

— Parfait, dit-il avec un grand sourire. Je suis sûr qu'Henry et Elisabeth seront ravis de vous montrer leur ville.

Henry et Elisabeth ? Faith tombait des nues. Il ne comptait pas sortir avec elle, pas le moins du monde.

Elle ravala sa déception.

— A la réflexion, je ne pense pas que ce soit une bonne idée.

— Pourquoi pas ?

« Parce que j'avais envie de sortir avec vous, voilà pourquoi ! » Décidément, l'endroit le plus sûr pour elle, c'étaient les dépendances ou Wheeler Berry Farm, là où elle serait loin de Gabriel Logan.

Heureusement, elle avait une excuse sous la main.

— Je crains d'être reconnue.

— C'est déjà fait.

— Comment ça ?

Dans un élan de panique, elle tourna la tête pour deviner où se tapissaient les photographes à l'affût derrière les bosquets ou les voitures.

— Je suis juste sortie chercher de quoi dîner ou pour me rendre chez Henry, et toujours déguisée !

— Je ne vous ai jamais vue porter autre chose qu'un jean et un T-shirt blanc !

— C'est justement ma tenue de camouflage. Des photos de moi ainsi vêtue ont déjà été publiées. Si quelqu'un prend une photo de moi dans cette tenue, elle n'aura aucune valeur puisque personne ne pourra en préciser la date. Les stars procèdent toujours ainsi quand elles veulent sortir boire un café ou faire des courses.

— Je l'ignorais.

— Bien sûr, si on me surprend à agir de façon scandaleuse, les médias s'arracheront les photos.

— Quelle est votre définition du scandale ?

— Je ne sais pas moi, donner un coup de pied à un

chien, traîner ivre sur la voie publique, être arrêtée, ce genre de choses.

— Eh bien, des citoyens de Berry Patch vous ont reconnue.

— Quand ?

— Pendant que vous travailliez ; assise sur les marches, déjeunant…

Il désigna la rue.

— … à regarder la circulation.

— Deux voitures par heure, je n'appelle pas ça de la circulation !

— C'en est pour Berry Patch.

Faith escalada vivement les marches du porche et s'installa, dos à la rue.

— Comment ont-ils découvert ?

Gabriel se leva.

— Je l'ignore. Mais j'ai tout de suite fait savoir que vous désiriez protéger votre incognito.

Elle éprouva un certain soulagement mais l'intervention de Gabriel serait-elle suffisante ? Sa famille croyait qu'elle passait des vacances dans le ranch d'amis, près de Telluride. S'ils avaient vent du Bed & Breakfast…

— Croyez-vous que cela suffise ?

Il haussa les épaules.

— Dans les petites villes, les gens sont solidaires.

— Vous voulez dire qu'ils pourraient me considérer comme l'une des leurs ?

— Je n'irai pas jusque-là. Disons plutôt qu'ils n'ont pas envie de vous partager.

— Vous pensez que je n'ai pas à me cacher ? Que je pourrais sortir dîner en ville au lieu de me terrer ?

— Je ne peux promettre que la rumeur ne se répandra pas mais je ne vois pas pourquoi vous devriez vous enterrer vivante. Alors ?

Elle se demanda pourquoi il était si pressé qu'elle visite la ville.

— Alors quoi ? s'enquit Bernie, pénétrant sur ses entrefaites dans la maison.

Vêtue d'une salopette couverte de poussière de plâtre et d'un T-shirt jaune qui avait connu des jours meilleurs, les cheveux tirés en queue-de-cheval, sans sa voix féminine, ses pommettes délicatement dessinées et ses mains fines, elle aurait pu passer pour un garçon.

— Je parie que mon grand frère vous ennuie !

— Pas du tout. Il m'encourageait juste à sortir ce soir.

— Bonne idée ! La Vigne est incontournable le vendredi soir. Venez avec nous.

— Qui ça, nous ?

— J.T., Eddie et moi. Le vendredi, nous terminons tôt le travail. Après une bonne douche, nous nous retrouvons pour dîner à la Vigne.

— Faith n'a pas envie d'aller à la Vigne, intervint Gabriel.

— En fait, si. Henry m'en a parlé. L'endroit semble intéressant.

— Parfait ! dit Bernie avec un grand sourire. Vous pouvez vous y rendre à pied. C'est sur Main Street, juste après la banque.

Le visage de Gabriel se ferma.

— Dommage que tu ne puisses te joindre à nous, grand frère, dit Bernie en lui donnant un tape sur le bras.

Elle se tourna vers Faith.

— Gabriel réserve ses vendredis aux rendez-vous amoureux.

Faith n'en fut pas autrement surprise. Elle se demandait seulement quel genre de femme il appréciait. Pas le sien, en tout cas. A part quand il avait pris le temps d'examiner ses mains aujourd'hui, il ne semblait pas la voir.

— L'heure de la débauche n'a pas encore sonné, dit-il à Bernie. N'as-tu rien à faire ?

— Tu es de bien mauvais poil ! J'espère que ça se passera comme tu veux avec Sally, pour que tu retrouves ton état normal.

Gabriel jeta un regard assassin à sa sœur. Quant à Faith, elle préférait ne pas imaginer ce qu'il attendait de Sally ce soir.

— Je vais dire à J.T. et Eddie que vous nous retrouvez à la Vigne ce soir, Faith.

— Ne rentrez pas seule s'il est tard, conseilla Gabriel.

Faith le dévisagea.

— Nous sommes à Berry Patch, pas à Los Angeles ou New York !

— Le danger est partout, y compris à Berry Patch. En tout cas, ne permettez pas à ce coureur de J.T. de vous raccompagner.

— Vous me rappelez mon grand frère Will ! répliqua Faith. Vous êtes comme ça avec vos sœurs ?

— Pire ! s'exclama Bernie avant de disparaître à l'intérieur.

La mâchoire de Gabriel se crispa.

— Ne vous inquiétez pas, dit Faith. Je serai prudente.

— Méfiez-vous surtout de J.T.

C'était trop ridicule pour en faire une histoire. Malgré tout, un petit démon intérieur la poussa à relever.

— Vous croyez ?

Le front de Gabriel se plissa.

— Quoi ?

— Que je devrais me méfier de J.T. ?

Elle prenait un malin plaisir à le provoquer. Si ça pouvait lui donner à réfléchir pendant son rendez-vous. Mais non, même pas…

— J.T. est un mignon petit gars bourré de testos-térone, déclara-t-elle.

— Il est jeune et stupide.

— Il peut s'éduquer.

Voyant les narines de Gabriel frémir, Faith contint son hilarité. Décidément, mieux valait ne pas appar-tenir à la fratrie !

— Je retourne au travail pour pouvoir partir tôt en prévision de ma folle soirée, dit-elle.

Sans répondre, il la regarda se diriger vers la porte.

A mi-chemin toutefois, elle se retourna.

— Hé, Gabriel ?

— Oui ?

— Soyez aussi prudent ce soir.

— Je ne suis pas une femme seule dans les rues la nuit !

— Non. Mais il ne faudrait pas que vous vous consumiez d'amour pour votre belle !

— Je me demande bien ce qui t'a pris !

Pour sa première visite à Wheeler Berry Farm depuis l'arrivée de Faith, cet après-midi-là, Gabriel déchargeait des bottes de foin qu'il empilait dans la grange.

Juché sur son tracteur John Deere flambant neuf, Henry astiquait ce dernier avec une peau de chamois.

— Tu crois que j'aurais dû acheter un Kubota ?

— Je ne te parle pas de tracteur !

Gabriel baissa la voix pour le cas où Elisabeth, son frère ou une de ses deux sœurs passeraient par là.

— Je te parle de Faith Starr !

Henry le dévisagea du haut de son perchoir.

— Qu'en penses-tu ?

— Elle est plus petite que je l'imaginais.

Des gouttes de sueur dégoulinaient le long du cou de Gabriel. L'effet de la chaleur ? Ou de Faith Starr ? Tout à l'heure, il avait eu l'intention de la dissuader de travailler sur le chantier et il avait fini par lui tenir la main et failli lui proposer de sortir avec lui. Pour quelqu'un qui avait la réputation de savoir gérer les situations, c'était plutôt raté.

— Pourquoi ne m'as-tu pas dit qui était F.S. Addison ?

— Elle m'avait demandé de garder le secret.

— Tu es mon ami oui ou non ?

— Je suis aussi son ami. Et puis, qu'est-ce que ça aurait changé ?

Gabriel but une longue gorgée d'eau. Faith n'était peut-être pas aussi capricieuse qu'il l'avait supposé mais ça ne changeait rien à l'essentiel.

— Elle n'a rien à faire à Berry Patch.

Henry se concentrait sur un endroit qui ne brillait pas suffisamment à son goût.

— Faith Starr, peut-être pas, mais Faith Addison, si.

— C'est une seule et même personne !

— Après seulement une semaine, tu la connais déjà si bien ?

— C'est suffisant pour savoir.

— Savoir quoi ?

Gabriel fouilla du bout de sa botte dans la saleté.

— Ce qu'il y a à savoir.

Henry jeta un coup d'œil aiguisé à son ami.

— Elle m'a dit que ça collait entre vous.

— Si elle le dit.

— Qu'en penses-tu ?

Gabriel haussa les épaules.

— Ça pourrait être pire.

Et c'était vrai. Faith aurait pu exiger de la moquette, des murs roses, des boiseries peintes en blanc et qu'on ajoute des lucarnes dans chaque pièce. Oui, il pouvait s'estimer heureux qu'elle exige seulement de travailler au même titre que les autres. Il se montrait même probablement un peu trop dur avec elle.

Il piqua sa fourche dans une botte.

— Je n'ai jamais vu une femme te mettre dans cet état, dit Henry, le dévisageant. Tu ne serais pas amoureux, par hasard ?

— Je ne la connais même pas !

— Essaie de la découvrir.

— Pas pour tout l'or du monde !

— Pourquoi pas ?

— Voyons, elle m'a soufflé la maison de mes rêves sous le nez pour la transformer en Bed & Breakfast. Qu'est-ce qu'elle va encore bien pouvoir inventer ?

— C'est une question intéressante, déclara Henry en sautant à bas du tracteur. Je suis désolé pour la maison, Gabriel. Si j'avais su que tu y tenais autant, je n'en aurais jamais parlé à Faith.

— Je m'en doute.

— Pour faire amende honorable, je peux t'indiquer le moyen de la récupérer.

— Je t'écoute.

— Epouse Faith, dit Henry avec un grand sourire.

Gabriel écarquilla les yeux.

— Ma parole, tu es complètement cinglé !

— C'est une bonne idée.

— C'est une idée stupide ! Tu as perdu la tête ou quoi ?

— Elle était en place la dernière fois que je me suis regardé dans une glace. Encore qu'Elisabeth prétendrait peut-être le contraire. Sans blague, mon vieux. Faith et toi formeriez un couple magnifique et vos enfants seraient superbes.

Il gonfla la poitrine.

— Je pourrais être leur parrain.

— Alors, d'après toi, je devrais demander sa main à l'une des femmes les plus belles et les plus courtisées de la terre dans l'unique but de récupérer ma maison ?

Henry hocha la tête.

— Après lui avoir fait la cour et être tombé amoureux d'elle, naturellement.

— Naturellement. Je croyais qu'Elisabeth t'avait fait promettre de ne plus jouer les entremetteurs ?

— Il ne s'agit pas de ça !

Henry frotta une tache récalcitrante.

— J'aide seulement deux amis.

— Abstiens-toi donc de m'aider, pour l'amour du ciel !

— Pourquoi ?

— Pour tout un tas de raisons.

— Donne-m'en au moins une, insista Henry.

— J'ai des projets d'avenir…

Gabriel se massa la nuque.

— … où elle ne tient aucune place.

— Tu n'es pas en train de construire une maison, mon vieux ! Tu ne peux passer ta vie à suivre des schémas préétablis !

— Je l'ai fait jusqu'ici.

Et Gabriel s'en enorgueillissait : du moins, ne finirait-il pas comme son père. Il avait planifié toute sa vie, une seule personne faisait obstacle à la réussite de ses projets : Faith.

— Quoi d'autre ?

— Une fille comme Faith ne s'installera jamais à Berry Patch.

— Tu n'es pas obligé d'y vivre.

— C'est chez moi ! rétorqua Gabe d'un ton sec. Je n'ai aucune envie de m'expatrier.

Henry haussa les épaules.

— Alors, il ne te reste plus qu'à racheter la maison de Faith.

— Comme si elle allait s'en séparer !

Un grand sourire éclaira le visage d'Henry et le cœur de Gabriel se mit à battre à coups précipités.

— Elle veut s'en séparer ?

Henry hocha la tête.

— Pourquoi ? Quand ?

— Ça dépend d'elle. Mais j'en ai probablement déjà trop dit.

Gabriel était tétanisé sous l'effet de l'excitation.

— Je n'en soufflerai mot à personne.

Tout n'était donc pas perdu ? Tout ce qu'il avait à faire, c'était persuader Faith de lui vendre la maison. Bien sûr, ça demanderait des efforts, et un sacrifice financier au vu des résultats de la restauration. Mais le jeu en valait la chandelle.

Il devrait aussi se montrer aimable avec elle. Plus qu'aimable, charmant.

Ce ne serait pas trop difficile étant donné son enthousiasme, son énergie, son sourire, son corps. Non, ce ne serait pas une corvée trop lourde...

Et, après le départ de Faith, il récupérerait la maison.

Il avait déjà le chien ; ne lui manquerait plus que... la femme.

6.

Oubliées les boîtes de nuit branchées de Los Angeles ou de New York ; Faith ne jurait plus que par la Vigne ! Le bar creusé dans la grotte ressemblait en tout point à ce qu'elle avait imaginé : un espace dépourvu de fenêtres, une atmosphère sombre, des épluchures de cacahouètes jonchant le parquet éraflé et des odeurs de graisse et de bière flottant dans l'air.

Faith se renversa contre le dossier de sa chaise et grignota une frite. Les régimes n'étaient pas de mise dans un lieu comme celui-ci. Pas plus que la fumée de cigarette grâce à la farouche lutte anti-tabac menée par le maire de Berry Patch qui se trouvait aussi être la mère de Gabriel et Bernie.

Ce qui lui plaisait le plus à la Vigne, cependant, c'était la clientèle. Les gens s'agglutinaient aux tables et autour du bar mais pas un ne s'aventura dans l'arrière-salle où elle s'était installée en compagnie de Bernie, J.T. et Eddie. Personne pour venir lui demander un autographe ou chercher à la prendre en photo.

Une soirée idéale. Faith croisa les doigts sous la table. Jusqu'à présent.

J.T. la regarda par-dessus sa chope de bière.

— Alors, c'est sûr, vous ne voulez pas voir mes balles ?

Bernie leva les yeux au ciel. Un léger maquillage, un joli chemisier bleu sans manches glissé dans la ceinture d'un jean avaient transformé le garçon manqué en gracieuse jeune femme.

— Très fin, J.T. Vraiment très fin.

Il redressa le menton tout en haussant les sourcils. Faith se demanda ce qu'il voulait exprimer. Le désir, peut-être ? En tout cas, il avait surtout l'air de souffrir ou d'être constipé.

— J'apprécie votre offre, J.T., mais je ne suis vraiment pas fan de base-ball.

Faith reposa son verre d'eau sur la table. Elle avait déjà bu une bière, ce qui était amplement suffisant. Même si elle avait quitté les lumières des sunlights, le moment n'était toujours pas venu de perdre les pédales.

— Maintenant, si vous avez des autographes de joueurs gravés sur des palets de hockey...

110

Le sourire avantageux de J.T. s'évanouit.

— J'ai grandi à Lake Tahoe, expliqua Faith avec l'agréable sentiment de pouvoir se livrer sans crainte d'être trahie. Là-bas, tout le monde skie, fait du snowboard ou joue au hockey. Et mes amies et moi avons toujours eu un faible pour les joueurs de hockey.

Bernie adressa un clin d'œil à Faith.

— J.T. est trop joli garçon pour avoir jamais joué au hockey.

— J'aime le hockey ! s'exclama Eddie.

C'était une des rares fois de la soirée où l'on entendait le son de sa voix. Peut-être parce qu'il avait été essentiellement occupé à dévorer trois hamburgers, deux assiettes de frites, sans compter la bière. Qu'il demeurât aussi mince avec un appétit pareil relevait du miracle aux yeux de Faith.

J.T. prit le pichet de bière et remplit les chopes de chacun à l'exception de Faith.

— Pas question que je risque de m'abîmer le portrait en prenant un mauvais coup au hockey !

Bernie ricana.

— Ce serait une telle perte pour l'humanité.

J.T. ignora la remarque ironique.

— Mais cette discussion m'a ouvert les yeux sur un point…

Eddie se pencha sur la table.

— Lequel ?

— Je comprends pourquoi Faith résiste à mon charme.

— Ça s'annonce passionnant, maugréa Bernie.

Pour sa part, la réponse intéressait Faith. J.T. prenait peut-être des airs bravaches avec les femmes mais elle soupçonnait qu'il valait mieux que ça.

— Et pourquoi ?

— Parce que vous n'aimez que les hommes qui ont le nez cassé et pas de dents !

Il lui adressa un sourire charmeur.

— Voyez, j'ai toutes mes dents !

L'éclat de rire fut général. Il y avait bien longtemps que Faith ne s'était autant amusée.

— Oh, non ! s'exclama-t-elle en portant une main à son cœur. Me voilà démasquée ! Promettez-moi ne pas l'ébruiter.

— Est-ce que cette information vaudrait cher ? demanda Eddie.

Le verre de Faith lui échappa des mains et son contenu se répandit sur la table.

— Eddie ! fit Bernie d'un ton de réprimande.

A l'aide d'une serviette, elle entreprit de réparer les dégâts.

J.T. donna une tape sur la tête d'Eddie.

— Tu n'es qu'un crétin !

Les haut-parleurs diffusaient de la musique country, quelqu'un fit une entrée fracassante en saluant bruyamment l'assemblée, une boule de billard en heurta une autre. Et soudain Faith se sentit envahie par une immense lassitude. Allons, il était temps de se retirer. Elle repoussa sa chaise et s'apprêta à se lever.

Bernie posa une main sur son bras.

— Il ne le pensait pas.

— Il vaut mieux que je parte. Il est… tard.

— Il plaisantait Faith, intervint J.T., fusillant Eddie du regard. N'est-ce pas, Eddie ?

Les joues écarlates, ce dernier hocha la tête.

— Je… je suis désolé, Faith. Je n'en parlerai jamais à personne, bien sûr. Même pas pour…

— Un million de dollars, termina Bernie à sa place.

— Vous avez rien à craindre de nous, dit J.T. d'un ton où la fanfaronnade avait laissé place à la sincérité. Même si vous préférez le hockey au base-ball.

Si elle voulait éviter que la soirée ne s'achève en fiasco, elle devait leur faire confiance, se disait Faith. Cependant, le doute s'était insinué en elle.

Elle ne pouvait s'empêcher de désirer mener une

vraie vie, avec de vrais amis qui ignoraient tout de l'existence d'artiste. Elle voulait cesser de se cacher, d'enfiler des déguisements, d'endosser des personnages.

— Restez, je vous en prie, dit Eddie. Si la blague vient aux oreilles de Gabriel, il me tuera. Et je suis trop jeune pour mourir ! Je n'ai même pas eu de petite amie !

En souriant, Faith se rassit.

— Je ne voudrais pas être complice d'un meurtre !

Eddie exhala un énorme soupir.

— Merci.

— Je suis très susceptible au sujet de ma vie privée, expliqua-t-elle.

— Facile à imaginer après l'épisode Rio Rivers, fit remarquer Bernie.

Faith se recroquevilla sur son siège tandis que Bernie se couvrait la bouche d'une main.

— Ne m'en veuillez pas, je vous en prie, Faith. Je ne voulais pas dire ça !

— Pas de problème, Bernie.

Et Faith se rendit compte que c'était vrai. Ces gens n'étaient pas animés de mauvaises intentions. Ils représentaient ce qu'elle avait eu de plus proche comme amis depuis des années.

— Ce n'est rien comparé à ce qui s'est produit après notre rupture.

— J'ai vu ça, dit Eddie.

— Quel culot d'avoir fait sa demande devant les caméras, dit Bernie. En direct, pas moins ! Ma jeune sœur Lucy était verte.

— Comme ça, je n'étais pas la seule, dit Faith.

— Elle était folle de rage et tellement contrariée pour vous !

Bernie joua avec sa serviette.

— Et maintenant, elle est furieuse contre Gabriel.

— Pourquoi donc ?

— Elle meurt d'envie de faire votre connaissance mais il refuse énergiquement qu'elle vous approche.

L'idée d'être ainsi protégée par Gabriel fit chaud au cœur de Faith.

— Je la rencontrerai volontiers.

— Elle n'a que dix-sept ans, dit Bernie. Elle s'attend à voir Faith Starr et non Faith Addison.

— C'est normal.

— Eh bien, c'est drôlement sympa de votre part ! Et je connais l'endroit idéal pour vous retrouver. Pourquoi ne pas venir à la fête donnée dimanche pour le premier anniversaire de ma nièce ? Comme ça, Lucy ne pourra pas vous accaparer.

— Lucy ne ferait pas ça.

— C'est à voir…

— Vous êtes sûre que je ne dérangerai pas ?

Bernie secoua la tête.

— Pas du tout ! La fête a lieu chez Kate. Rien de bien extraordinaire. Barbecue, gâteau et glace.

— Ça paraît alléchant.

Ce genre de fête rappelait à Faith celles données en l'honneur des anniversaires de ses neveux et nièces.

— Ces deux-là seront de la partie, ajouta Bernie, désignant leurs compagnons.

— Dans ce cas, comment pourrais-je refuser ?

— Lucy va devenir dingue ! Je suis sûre que c'est votre plus grande admiratrice.

Le regard de Bernie étincelait de joie. La tendresse qu'elle manifestait vis-à-vis de sa petite sœur touchait beaucoup Faith.

— Lucy a même lancé une pétition pour exiger de Rio Rivers des excuses publiques.

— Elle a bien fait, dit J.T. Cette demande manquait vraiment de romantisme.

— Quelle finesse d'analyse ! s'exclama Bernie. Je n'aurais pas cru ça de toi.

116

Il haussa les épaules tout en se redressant d'un air fat.

— Rio est un gentil garçon, dit Faith. Un peu jeune, c'est tout.

J.T. pencha la tête.

— Je suis séduisant et jeune aussi.

C'était là que le bât blessait. Il ne l'intéressait pas plus qu'Eddie comme amoureux potentiel mais elle appréciait qu'il prenne son parti.

— Vous savez, J.T., il ne vous manque pas grand-chose pour être l'homme de ma vie...

Il se pencha vers elle.

— Quoi donc ?

Elle poussa un soupir à fendre l'âme.

— Vous ne jouez pas au hockey.

Bernie et Eddie éclatèrent de rire, bientôt imités par J.T. et Faith.

Mais, soudain, fixant un point derrière elle, Eddie fronça les sourcils.

— Est-ce que Gabriel ne devait pas...

— Ai-je entendu prononcer mon nom ? fit une voix familière derrière Faith.

Elle se retourna.

Gabriel se tenait dans l'embrasure de la porte, une chope de bière à la main. Il portait un polo bleu et un jean. Pas une tenue vraiment recherchée, mais elle lui allait bien. Très bien même. Pour tout dire il avait une allure folle…

— Où est Sally ? demanda Bernie.

— Un appel de dernière minute. Elle doit coiffer tout un tas de demoiselles d'honneur demain matin et préfère se coucher tôt.

— Qu'est-ce qui vous a donné l'idée de nous rejoindre ? demanda J.T.

La réponse intéressait également Faith. Ecourter un rendez-vous était une chose mais cela n'expliquait pas pourquoi il était venu les retrouver, ni surtout pourquoi il la dévorait des yeux. Un tel regard était normal venant de J.T. mais pas de Gabriel.

Elle ne s'attendait pas à le revoir avant lundi, c'est-à-dire bien assez tôt pour son goût. Pas parce qu'il lui déplaisait. Au contraire. Parce qu'il lui plaisait trop.

— J'avais envie d'une bière.

Les autres parurent satisfaits de la réponse. Faith, toutefois, continuait d'être intriguée. Il y avait quelque chose de changé en lui ; il était plus gai, plus avenant. Sans doute son dîner avec sa petite amie qui l'avait mis de bonne humeur.

— Il y a un moment que je ne me suis pas joint à vous un vendredi soir, ajouta-t-il.

Bernie lui fit une place entre Faith et elle. Quand il s'assit, sa cuisse effleura celle de la jeune femme.

— Désolé.

— Ce n'est rien.

Mais c'était faux. Le point de contact fourmillait d'une délicieuse chaleur. Elle essaya de s'écarter mais la table était bondée.

Tandis que J.T. et Bernie discutaient des dernières performances de leur équipe de base-ball préférée, Gabriel posa un bras sur le dossier de la chaise de Faith. Elle se redressa pour éviter son contact.

Il se pencha vers elle.

— Vous vous amusez ?

Elle hocha la tête.

— J'avais besoin de sortir.

L'atmosphère était devenue tout à coup oppressante. A cause de la présence de Gabriel Logan, la température s'était élevée et l'air était devenu lourd.

— J'espère que, maintenant que vous avez franchi le pas, vous sortirez davantage.

Elle hocha stupidement la tête.

— Faith va devenir une habituée de la Vigne, décréta J.T.

— J'adore cet endroit !

Les mots avaient du mal à sortir. Sa langue était

épaisse, sa bouche sèche. Elle but une gorgée d'eau sans résultat appréciable.

— Est-ce que vous jouez au hockey, Gabriel ? s'enquit Eddie.

Faith faillit s'étrangler.

— Un peu.

— Un peu ? fit Bernie. Gabriel a joué avec l'équipe de son université.

Il reposa sa chope.

— Pourquoi cette question ?

— Faith a un faible pour les joueurs de hockey, déclara Eddie.

Il regarda autour de lui avant d'ajouter :

— Mais ça doit rester entre nous.

— Je serai muet comme une tombe, dit Gabriel, le regard pétillant de joie. Pourquoi appréciez-vous tant les joueurs de hockey ?

Faith n'avait qu'une envie : disparaître dans un trou de souris. Elle déglutit péniblement.

— J'aime les garçons aux cheveux ras et armés d'un gros bâton.

Gabriel rit.

— Je ne peux pas faire grand-chose pour ma coupe de cheveux…

J.T. ricana.

— Et le gros bâton ?

Il était grand temps de changer de sujet.

— Si nous jouions aux fléchettes ? proposa Faith.

Gabriel se leva.

— Bonne idée.

J.T. et Eddie l'imitèrent.

— On va faire deux équipes, dit Gabriel. Faith et moi contre vous trois.

Tout le monde acquiesça, sauf elle. Elle ne voulait pas se retrouver dans l'équipe de Gabriel ; elle ne voulait créer aucune complicité avec lui.

Il lui fit signe de le rejoindre. L'estomac noué par l'appréhension, elle obtempéra.

— Ça ne va pas ? demanda-t-il avec une sincère sollicitude.

Elle se força à sourire. Ce n'était qu'un jeu, après tout. Et puis, n'était-elle pas immunisée contre le charme des hommes ?

Il mit les fléchettes dans sa main et les couvrit de la sienne.

— Montrons-leur ce que nous avons dans le ventre, chuchota-t-il à son oreille.

Elle hocha la tête. « Tu es immunisée, rappelle-toi. »

Gabriel sourit. Ses yeux brillaient d'une joyeuse impatience.

— Allons-y.

Faith tressaillit. Une piqûre pour renforcer son immunité ne serait peut-être pas inutile…

Gabriel avait toujours jugé Faith Starr dangereuse mais, jusqu'à ce soir, il ignorait à quel point.

— Nous avons encore gagné ! s'écria-t-il.

La remarque fut saluée par un concert de lamentations de la part de l'équipe adverse.

Bernie se laissa tomber sur un tabouret.

— Impossible de vous arrêter, vous, les garçons !

— Je n'ai pas l'habitude de perdre ! décréta J.T. J'ai juste besoin d'une pause. Les gagnants paient la tournée.

Faith fouillait déjà sa poche à la recherche de pièces de monnaie mais Gabriel arrêta son geste.

— Bernie ? fit soudain une voix féminine.

— Maman ?

— Que fais-tu là ? demanda Gabriel.

Leur mère ne mettait jamais les pieds à la Vigne. Elle trouvait l'endroit sombre et malodorant.

— Il y a un problème ? Papa ?

— Votre père est au bar en train d'expliquer à Hal ses projets de ferme d'algues ou de je ne sais quoi…

D'un geste très digne, Veronica Logan salua J.T. et Eddie. Elle était fière d'être un personnage en vue à Berry Patch et cultivait avec soin son image publique. Gabriel ne lui en voulait pas de prendre plaisir à son rôle. La vie ne lui avait pas toujours souri. Elle avait dû vivre sur une exploitation mal gérée et élever six enfants sans jamais savoir avec quel argent elle pourvoirait à leurs besoins.

Accéder au poste de maire avait comblé un rêve vieux d'un demi-siècle et sauvé son mariage. A présent qu'elle n'avait plus à se soucier autant de son mari et de leur exploitation, elle pouvait se consacrer à ses enfants, ses cinq petits-enfants et à Berry Patch.

— Que fais-tu là, Gabriel ? Je croyais que tu sortais avec Sally…

— Changement de programme.

— Comme nous, dit Veronica. Nous avons dîné au restaurant et, en passant devant la Vigne, je me suis dit que je m'arrêterais bien pour voir Bernie. Je sais qu'elle y passe tous ses vendredis soir.

Bernie gémit.

— Maman ! Quand tu dis ça, j'ai l'impression d'être tellement pathétique !

— Juste prévisible, répliqua en souriant Veronica.

Mais quelle chance ! J'ai fait d'une pierre deux coups !

Bernie s'approcha de Faith restée près du jeu de fléchettes.

— As-tu rencontré Faith Addison, maman ?

— Non. Bonjour, Faith. Je suis Veronica Logan, maire de Berry Patch.

Faith tendit la main avec grâce.

— Ravie de faire votre connaissance.

Un sourire cannibale joua sur les lèvres de Veronica.

— Tout le plaisir est pour moi.

Et soudain, Gabriel comprit la raison de la présence de sa mère à la Vigne. Elle avait eu vent de la présence de Faith. Il jeta un coup d'œil dans la première salle. Pas d'étrangers en vue. C'est-à-dire pas de journalistes. Il s'était entretenu avec Paul, le directeur de la *Gazette de Berry Patch*, et l'avait prié de ne pas divulguer la présence de Faith en ville mais savait-on jamais…

— Avez-vous visité notre ville ? demanda Veronica.

— Un peu.

La voix de Faith était tendue, son visage pâle et elle se tenait très raide. Si c'était là son personnage public, Gabriel préférait l'autre. Le contraste entre son attitude présente et son aisance de tout à l'heure était même affligeant.

— Tant mieux, dit Veronica d'un ton nonchalant.

Cependant, l'éclat de son regard démentait la décontraction qu'elle affichait.

— Fred Taylor m'a dit que vous aviez acheté la maison Larabee.

— Fred Taylor ?

— Le seul et unique garagiste de la ville. Un homme charmant. Il est au courant de toutes les affaires de la ville.

Faith se raidit.

— Je suppose qu'il connaît les miennes.

— Ne vous inquiétez pas, dit Veronica. Il sait être discret.

— Il a tout intérêt, intervint Gabriel.

— Bon, je suppose que ton père a fini de casser les oreilles de Hal avec son projet…

De la poche de sa veste, Veronica sortit une carte de visite.

— Si vous avez besoin de quoi que ce soit, n'hésitez pas à m'appeler.

— Merci, dit Faith en prenant la carte.

Gabriel n'appréciait pas la tournure que prenaient les événements. Sa mère n'agissait jamais sans raison, elle mijotait donc quelque chose. Et si Faith était concernée…

— Je vais commander une tournée, maman. Je te raccompagne.

— Très honorée d'avoir fait votre connaissance, dit Faith.

Veronica lui adressa un petit signe de la main.

— A bientôt.

Quand ils eurent quitté l'arrière-salle, Gabriel attira sa mère à l'écart.

— Faith ne veut pas qu'on sache ce qu'elle fait ici.

— Tout le monde le sait déjà.

— Seulement les gens de Berry Patch.

— Elle veut éviter la publicité ?

Il acquiesça d'un signe de tête.

— Ce serait une catastrophe si les médias venaient à apprendre sa présence ici.

— Eh bien, nous n'avons qu'à garder notre petit secret !

Veronica jeta un coup d'œil en direction de l'arrière-salle.

— Je comprends pourquoi tu te plaignais de ta nouvelle cliente. Elle est gentille mais un peu coincée.

— Elle n'est pas coincée !

126

Veronica lui adressa le même regard que le jour où il avait bouché le tuyau d'échappement de M. Gessel avec une banane.

— Comment le sais-tu ?

— C'est compliqué.

— J'ai eu cinq jolies filles et un garçon séduisant, dit Veronica. Rien de ce qui est compliqué ne peut m'échapper.

— Elle participe aux travaux.

— C'est ce qui explique ton mécontentement.

Veronica sourit.

— Du moins est-elle jolie à regarder.

— Si on apprécie son genre.

— Tu n'aimes pas ?

— C'est une cliente, maman. Rien de plus. Je doute qu'elle prolonge son séjour une fois le chantier fini.

— Et pourquoi pas ?

— C'est une vedette de cinéma. Elle n'a rien à faire dans un trou comme celui-ci.

— Berry Patch est un endroit charmant.

— Pour nous, pas pour elle.

Veronica écarquilla les yeux.

— Elle te l'a dit ?

— Disons que c'est ainsi.

Gabriel fit signe à Hal de lui donner un pichet.

— Ça tombe bien, parce que, plus tôt elle quittera Berry Patch, mieux ce sera pour tout le monde.

— Six à zéro ! Personne n'est près de nous battre ! s'exclama Gabriel.

Ils s'en revenaient, Faith et lui, par les rues éclairées par la lumière des lampadaires. Au loin, on entendit l'horloge de la banque sonner douze coups.

— Nous aurions dû changer les équipes, suggéra Faith.

— Pour perdre ? Merci bien !

— Je ne pensais pas que vous aviez autant l'esprit de compétition.

— Ça dépend de l'enjeu. Ce soir, c'était le plaisir de fanfaronner !

Ils étaient arrivés devant la maison Larabee. Soudain, il s'immobilisa.

— Bon sang !

— Que se passe-t-il ?

— On dirait qu'il y a de la lumière à l'étage.

— Le clair de lune, sans doute.

— Ou une lampe halogène restée allumée. Dans ce cas, ça peut créer une surchauffe dangereuse. Je vais vérifier.

— Je viens avec vous.

Sous le porche, il s'immobilisa.

— Il fait sombre à l'intérieur. Vous risquez de tomber.

— Et vous ?

— Je connais cette maison comme ma poche. Ne bougez pas. Je reviens tout de suite.

En réalité, avec le clair de lune qui baignait les pièces, il faisait plutôt clair dans la maison. A l'étage, il suivit le couloir et pénétra dans la chambre incriminée. Faith avait raison. C'était bien la lumière de la lune qui illuminait la fenêtre.

Il regarda les ombres s'étirer sur les parquets, écouta les divers craquements qui composaient la respiration de la maison. Puis il entendit un bruit de pas.

— Gabriel ? Avez-vous besoin d'aide ?

— Pas à moins que vous ne sachiez éteindre la lune !

— Je ne crois pas en être capable !

— Dans ce cas, ne bougez pas. J'arrive !

Il la retrouva près de la cheminée de la salle de séjour, la douce lumière du clair de lune exaltant sa beauté.

Il croisa son regard.

— Malgré le désordre, je vois maintenant tout le potentiel de cette maison, déclara-t-elle.

Une douce chaleur envahit Gabriel. Il se rapprocha.

— Tant mieux.

Elle avança vers lui.

— Oui.

Irrésistiblement attiré, il fit également un pas, puis un deuxième.

— Que se passe-t-il ? murmura-t-elle.

— Je n'en sais trop rien.

— Ce n'est probablement pas une bonne idée.

Ils étaient maintenant tout près l'un de l'autre.

— Probablement pas.

Elle se mordit la lèvre.

— Je devrais rentrer chez moi.

— Vous devriez.

Mais elle demeurait immobile dans le clair de lune.

Gabriel posa une main sur sa joue. Sa peau était douce contre la sienne, si rêche. La raison lui soufflait qu'il allait regretter son geste mais il n'en avait cure. Il attira son visage vers le sien, juste pour goûter ses lèvres. Et puis il se pencha et découvrit... le paradis.

Goûter ne lui suffirait pas mais oserait-il réclamer davantage ? Sans plus réfléchir, il l'attira contre lui et elle s'abandonna avec un empressement qui le surprit et l'enchanta.

Elle glissa ses doigts dans ses cheveux et couvrit

son cou de baisers tout en murmurant son prénom. Quand il reprit sa bouche, il sentit ses seins se plaquer contre sa poitrine et les battements de son cœur répondre aux siens. Et lorsqu'elle écarta ses lèvres, il perdit ce qui lui restait de contrôle.

Comment aurait-il pu garder son sang-froid quand il ressentait un indicible bonheur à la tenir dans ses bras ? Il n'avait pas connu une telle extase depuis des années, depuis sa séparation avec Lana, son ex-femme, pour être plus précis.

La pensée le frappa avec la force d'un boulet de canon. Pas plus que Lana, Faith ne comptait rester à Berry Patch.

Il s'écarta et posa les mains sur les épaules de la jeune femme.

— Je suis désolé.

— De m'avoir embrassée ou d'arrêter ?

Il la dévisagea. Avec ses pupilles élargies, ses lèvres enflées, ses joues rougies, elle offrait l'image d'une femme qui venait d'être embrassée et son désir resurgit.

— D'arrêter. Non, de vous avoir embrassée. Je… Oh ! et puis, zut ! Je suis désolé, d'accord ?

— Non, je ne suis pas d'accord.

— Pardon ?

— Je ne suis pas d'accord. Je vous ai rendu votre baiser.

— C'est moi qui ai commencé.

— Pourquoi m'avez-vous embrassée ? Je veux dire : toute la semaine, vous m'avez traitée en employée ou en petite sœur. Ce soir, vous m'examiniez comme un outil que vous viendriez juste de recevoir. Et maintenant, vous m'embrassez. Que se passe-t-il ?

Il ne s'attendait pas à ça. En d'autres circonstances, il aurait admiré sa franchise mais, en cet instant précis, elle le rendait maladroit et le mettait sur la défensive.

— Est-ce que vous questionnez toujours les gens sur leurs mobiles ?

— Rarement.

— Quelle chance j'ai !

— Ecoutez, je me suis trop souvent brûlé les ailes. Et ce projet est trop important pour que je laisse subsister des malentendus. C'est pourquoi je dois savoir.

— Quoi ?

— Qu'attendez-vous de moi ?

Tout ce qu'elle avait à lui donner… Mais non ! se rendit soudain compte Gabrie. Ce qu'il voulait, c'était la maison. Sa maison. Et cela seul pouvait expliquer le baiser de ce soir.

Il se sentit plus misérable qu'un ver de terre.

— Alors, Gabriel ?

— Rien du tout.

Elle accusa le coup.

— Je suis désolé, dit-il sincère.

— Vous me l'avez déjà dit.

— C'est la vérité…

Il ne pouvait laisser un baiser se mettre en travers de ses projets.

— C'était une erreur.

— Une erreur, répéta-t-elle d'une voix éteinte.

— Oui.

Il plongea son regard dans le sien. La joyeuse étincelle s'en était envolée.

— Pourrez-vous jamais me pardonner, Faith ?

Lui pardonner ? Faith avait surtout envie de le battre, pensait-elle en courant vers les dépendances.

— Attendez ! cria Gabriel.

Il pouvait toujours lui courir après, elle ne s'arrêterait pas. Elle en avait assez entendu pour ce soir.

En réalité, elle était d'accord avec lui. Ils n'auraient jamais dû s'embrasser. Sauf qu'ils étaient tous les deux responsables de ce baiser.

L'heure était grave. Après avoir commis tant de maladresses, elle se retrouvait exactement au même point. Non, cette fois, c'était pire. Gabriel n'était pas seulement un garçon séduisant qu'elle aurait mal jugé, il tenait son avenir entre ses mains.

— Faith ! Je vous en prie.

D'une main qui tremblait, elle glissa la clé dans la serrure et ouvrit la porte. Cependant, avant qu'elle ait pu la claquer derrière elle, une main l'en empêcha.

— Je vous ai priée de m'excuser, dit-il, le regard implorant. Ce n'était qu'un baiser.

Pour lui, peut-être, mais pour elle… Ce baiser l'avait bouleversée. Dans les bras de Gabriel, elle avait eu la sensation d'être, enfin, à sa place.

Mais elle n'était pas à sa place dans ses bras. Ni près de lui. Berry Patch et la maison Larabee n'étaient qu'un moyen pour parvenir à ses fins.

— C'est vrai, ce n'était qu'un baiser, dit-elle enfin. Si je pouvais le reprendre, je le ferais volontiers.

Elle s'attendait à une protestation.

— Moi aussi, dit-il simplement.

— Au moins, nous sommes d'accord sur un point, riposta-t-elle, ravalant sa déception.

— Nous sommes d'accord sur bien plus, Faith.

La remarque lui déplut, parce qu'elle était vraie. Ils avaient réussi à mettre de côté leurs désaccords pour travailler côte à côte, et ils étaient capables de beaucoup plus.

Elle se rembrunit.

— Ne faites pas cette tête, je vous en prie ! Que puis-je faire pour vous rendre votre bonne humeur ?

Ce qu'il pouvait faire ? L'embrasser, bien entendu !

Mais c'était bien la dernière de ses préoccupations.

Disparaître à l'autre bout de la terre, voilà ce qu'il pouvait faire pour elle. Mais, dans ce cas, qui restaurerait la maison ? Il fallait réfléchir et vite.

— Cesser de vous excuser et tirer un trait sur cette parenthèse.

— Très bien, dit Gabriel. Autre chose ?

— Me traiter comme un membre à part entière de l'équipe.

— C'est ce que j'ai fait toute la semaine.

— Vous embrassez donc également Bernie, J.T. et Eddie ?

— Vous marquez un point. Quoi d'autre ?

— Rien.

Elle croisa les bras sur sa poitrine.

— D'accord, dit-il.

Elle avait obtenu ce qu'elle voulait mais n'en

éprouvait aucun soulagement. Seulement une infinie tristesse.

— Faith ?

Elle retint son souffle.

— Oui ?

— 6 h 30, lundi matin. Et je ne tolérerai pas une minute de retard.

7.

Gabriel était en retard. Il aurait mieux fait de ne pas venir du tout, mais il ne pouvait se permettre de manquer la fête d'anniversaire de sa nièce.

Il gara son pick-up dans l'allée de Kate.

Il avait travaillé toute la nuit pour mettre la dernière touche à la maison de poupée qu'il comptait offrir à Annelise. De toute façon, il n'aurait pas trouvé le sommeil. Des visions des longs cheveux de Faith, de son regard expressif, de son généreux sourire, dansaient dans son esprit chaque fois qu'il fermait les yeux. Et les souvenirs de leur brûlant baiser l'avaient tenu éveillé deux nuits d'affilée.

Quel idiot il faisait…

Comme il coupait le contact, Frank gémit.

Gabriel se tourna vers son chien, assis sur le siège du passager.

— Tu ne vas pas t'y mettre, toi aussi !

Tandis qu'ils se dirigeaient vers le jardin situé à

137

l'arrière de la maison, ils furent accueillis par une alléchante odeur de poulet grillé. Une explosion de cris de joie salua leur arrivée et Savannah, Madeline, Anna et Danielle, les filles de Cecilia, se précipitèrent à leur rencontre pour les couvrir tous deux de caresses et de baisers.

Cet accueil réchauffa le cœur de Gabriel. Par-dessus leur tête, il chercha du regard ses sœurs et sa mère. Des ballons roses et rouges avaient été accrochés un peu partout, des chaises longues disposées sur la pelouse autour de la table de pique-nique et on avait dressé un buffet dans le patio.

Il aperçut sa mère, Theresa, Bernie et Lucy qui, occupées à bavarder, n'avaient pas remarqué son arrivée. Et c'était tant mieux car elles n'allaient pas manquer de l'assaillir de questions à propos de Faith.

Kate vint vers lui, une bouteille de soda toute fraîche à la main.

— Salut, frangin ! Tu as terminé la maison de poupée ?

Il sourit.

— Je l'ai mise dans la salle de séjour, avec les autres présents.

— Annelise va adorer !

Il déboucha la bouteille et but une gorgée.

— Où est-elle ?

Kate indiqua la table de pique-nique.

— Là-bas.

La tête de la petite fille émergeait au-dessus de celles des personnes attroupées autour d'elle. Sa mère mise à part, Annelise ne laissait le privilège de la prendre dans ses bras qu'au père de Gabriel. Si quelqu'un d'autre s'avisait d'essayer, elle hurlait à en devenir écarlate.

— Avec papa ?

— Il est dans la cuisine, avec Cecilia.

— Comment se fait-il donc qu'elle ne pousse pas des cris d'orfraie ?

— Elle est trop séduite pour pleurer.

Gabriel lui-même, dont le charme agissait sur presque toutes les femmes, jeunes ou moins jeunes, n'avait jamais réussi à prendre Annelise dans ses bras sans déclencher un drame.

— Je ne te crois pas.

— Va constater par toi-même ! rétorqua Kate avec amusement. Moi, je m'occupe de mettre le pain au four.

Ne tenant pas à subir tout de suite les assauts de curiosité de sa mère et de ses sœurs, Gabriel resta prudemment aux abords du buffet.

Frank, portant un chapeau rose orné de serpentins

rouges, passa en trottinant près de lui, les petites filles en remorque. Puis J.T. sortit de la maison, suivi d'Eddie.

— J'y vais, dit-il à ce dernier. Je n'ai pas souhaité son anniversaire à Annelise.

— Mais si, rétorqua Eddie s'emparant au passage d'une chip.

— Tu parles ! Il y avait un tel remue-ménage autour d'elle, elle n'a sûrement pas entendu.

— Pareil pour moi.

Et ils s'éloignèrent sans prêter plus d'attention à Gabriel.

Il se passait quelque chose de bizarre, se dit-il, et il détestait être laissé sur la touche.

Il jeta sa bouteille à la poubelle et se redressa. L'heure était venue d'affronter l'Inquisition.

Comme il approchait de la table, des rires d'enfant s'élevèrent. Cependant, Lucy, debout près de Bernie, l'empêchait de voir ce qui se passait.

— C'est incroyable comme Annelise apprécie, dit Lucy.

— Elle n'est pas aussi joyeuse avec moi ! renchérit Bernie.

Lucy hocha la tête.

— Avec moi non plus !

140

La curiosité l'emportant, Gabriel regarda par-dessus l'épaule de Lucy.

Faith ?

Pour une fois, elle ne portait pas ses sempiternels jean et T-shirt blanc mais une robe à fleurs. Et son cœur bondit.

Que faisait-elle ici, au nom du ciel ?

Il éprouva une bouffée de ressentiment. Elle n'avait pas le droit d'envahir son territoire ! Cependant, la star de cinéma, si éloignée de l'image d'une épouse et d'une mère, tenait sa nièce dans ses bras. Un peu maladroitement, il est vrai, mais, semblant fort peu se soucier que la petite lui tire les cheveux ou la couvre de baisers mouillés, elle fredonnait une berceuse où il était question de sirènes et d'éléphants roses. Et Annelise battait des mains et souriait de toutes ses dents.

Elle n'était pas la seule à apprécier Faith. Sa mère et ses sœurs lui souriaient comme s'il se fût agi de la Madone. Il ne se souvenait pas que sa famille ait accueillie si chaleureusement Lana. Il faut dire que cette dernière n'avait pas cherché à se faire accepter.

Il se souvint que, quand sa cousine Mary Ann avait donné naissance à son premier enfant, Lana n'avait même pas voulu s'en approcher. Et quand le bébé avait régurgité, elle avait pâli et manqué s'évanouir. Après cela, plus personne n'avait présenté de bébé à la jeune femme.

Mais à Faith Starr, ils faisaient don du plus jeune membre de la famille. Gabriel avait l'impression d'avoir reçu un coup de massue sur la tête. Ils ne voyaient donc pas qu'elle n'appartenait pas à leur monde ?

— Vous êtes incroyable, Faith ! dit Bernie. Vous maniez le maillet comme une pro, êtes championne de fléchettes et calmez les bébés comme par magie. Y a-t-il une chose que vous ne sachiez faire ?

— Je n'ai guère changé de couches !

— Cecilia peut vous donner des leçons, dit Theresa.

Faith posa le bébé sur sa hanche.

— Je ne sais pas utiliser le pistolet à clous.

J.T. s'avança, l'air avantageux.

— Je vous montrerai.

Eddie le bouscula.

— Non, moi !

Ah, les hommes ! Faith les menait par le bout du nez. Comme Gabriel poussait un juron, tous les regards convergèrent vers lui.

— Tu pourrais surveiller ton langage devant la petite, fit remarquer Veronica d'un ton sévère.

— Je peux te dire un mot ? demanda Gabriel à Bernie.

Il entraîna sa sœur à l'écart.

— Peux-tu me dire ce que Faith fabrique ici ?

— Je l'ai invitée.

— Pourquoi ?

Le visage de Bernie s'éclaira.

— Pour que Lucy la rencontre. Tu sais comme elle l'admire. Et Faith a apporté un cadeau pour Annelise.

— C'est un événement familial !

Faith attirait peut-être la sympathie de tous mais jamais elle ne s'intégrerait à la famille. Ils devraient bien s'en apercevoir un jour.

— J.T. et Eddie sont bien présents, fit remarquer Bernie.

— Ils travaillent pour moi.

Il avait haussé le ton, attirant involontairement l'attention sur lui.

— Faith travaille aussi pour toi.

— Il serait plus juste de dire que nous travaillons pour elle ! Et puis, J.T. et Eddie sont d'ici, pas elle.

— Ce que tu peux être bête parfois, frangin !

— Lucy va la harceler.

— Lucy se tient très bien. Tu en serais impressionné.

143

A ce moment, leur sœur cadette fit irruption près d'eux, les joues rouges, le regard brillant.

— Vous n'allez pas le croire ! Faith propose de m'aider à travailler mon texte. Vous imaginez ? Faith Starr me faisant répéter mon rôle pour la pièce de fin d'année, à moi, Lucy Logan ! C'est à tomber par terre, non ?

Lucy était déjà partie. Gabriel croisa les bras sur sa poitrine.

— Faith causera forcément des problèmes.

— Dis donc, mon vieux, s'exclama Bernie d'un ton agacé, tu ne nous chantais pas le même refrain vendredi quand tu nous cassais les oreilles avec tes histoires de super partenaires et d'équipe soudée ! Tu ne semblais pas avoir de problèmes à ce moment-là !

— J'aurais dû.

— Tu m'as dit que tu étais rentré directement à la maison après avoir raccompagné Faith, mais… se serait-il passé quelque chose entre vous ?

Il marqua une seconde d'hésitation.

— Non.

— Je vois bien que tu mens ! Qu'est-ce que tu as fait ?

— Rien du tout.

— Menteur !

144

Elle lui donna une tape sur la joue.

— Tu l'as embrassée, c'est ça ?

Bien sûr, Bernie cherchait juste à se renseigner, mais il n'arrivait pas à comprendre par quel miracle ses sœurs et sa mère tombaient toujours juste à son sujet. Lui qui détestait qu'on se mêle de sa vie privée…

Il poussa un énorme soupir.

— Je ne vois pas de quoi tu parles.

— Ne joue pas à ce petit jeu-là avec moi, Gabriel Logan ! Les femmes devinent ces choses.

— Les femmes, peut-être, mais pas les garçons manqués. Bonjour, Faith !

— Bonjour, Gabriel, dit cette dernière, s'avançant vers lui, un sourire forcé aux lèvres.

Il se redressa instinctivement et frémit de sa sottise. Puis il nota ses bras vides.

— Où est Annelise ?

— Elle commençait à s'énerver, alors Kate l'a reprise.

— C'est incroyable ce que vous pouvez être maternelle, s'extasia Bernie.

Maternelle ? Gabriel dévisagea Faith. Il était plus probable qu'elle se croyait en train de jouer le rôle d'une mère.

145

— Ça m'étonnerait, répliqua Faith, très surprise. J'ai très peu approché d'enfants dans ma vie.

— Vous avez bien des neveux et nièces ?

Faith haussa les épaules.

— Je voyage tellement…

Bien sûr, pensa Gabriel. Les vedettes de cinéma passent leur temps à voyager. Elles possèdent des maisons un peu partout mais nul endroit où elles soient vraiment chez elles.

— Voulez-vous boire quelque chose ? proposa Bernie. Un soda ? Du champagne ?

— Non, merci. Je vais me retirer, ajouta-t-elle avec un petit soupir.

— Vous allez bien dîner avec nous ! s'exclama Bernie.

Au regard de Faith, Gabriel comprit que c'était à cause de lui qu'elle songeait à partir. Et, à son soulagement se mêla un sentiment de dégoût envers lui-même.

Elle ne méritait pas de passer la soirée seule chez elle pour la simple raison que lui était mal à l'aise. Il n'avait tout de même plus douze ans ! En outre, il tenait à se faire bien voir d'elle. Car ce n'était pas en se montrant désagréable qu'il récupérerait la maison.

— Restez, dit-il. Kate a prévu un bon repas.

— Et Cecilia a préparé son fameux gâteau au chocolat, ajouta Bernie.

Le regard indécis de Faith passait de l'un à l'autre.

— Je…

— Oh, Faith, vous êtes là !

Kate approcha avec dans les bras une Annelise qui gigotait.

— Voudriez-vous la prendre quelques instants ? J'ai des détails de dernière minute à régler dans la cuisine et papa est occupé au garage.

Comme Faith lui prenait Annelise des bras, la petite la gratifia d'un baiser mouillé.

« Mieux vaut Annelise que moi », songea Gabriel.

— Alors, vous restez ? demanda Bernie.

Avec un sourire contraint, Faith fit passer le poids du bébé d'un bras sur l'autre.

— Il semble que je n'aie pas le choix.

— Tant mieux ! s'exclama Bernie. Je vais aller voir ce que fabrique papa avant qu'il ne démolisse tout.

Faith la regarda rentrer dans la maison.

— J'espère que… ce n'est pas trop ennuyeux pour vous. J'avais oublié l'invitation de Bernie jusqu'à ce qu'elle m'appelle ce matin pour me donner l'adresse de la maison.

147

— Pas de problème, dit poliment Gabriel.

Il ne pouvait pourtant s'empêcher de soupçonner ses sœurs de manipulation. D'un autre côté, personne n'aurait pu convaincre Annelise d'accepter si aisément une totale étrangère.

Il lut le doute dans les yeux de la jeune femme.

— Je vous assure. Kate est si heureuse d'avoir quelqu'un d'autre que notre père pour s'occuper de sa fille. Elle a beaucoup souffert mais, ce soir, elle semble revivre. Et vous y êtes pour beaucoup.

— Bernie m'a expliqué que son mari s'était noyé dans un accident de bateau. C'est épouvantable.

— Elle est tellement préoccupée du bien-être de sa fille qu'elle ne songe pas à elle.

— Laissez-lui du temps.

— Je sais.

Gabriel tapota le nez d'Annelise.

— Mais ce bout de chou mérite d'avoir un père qui l'aime.

— Si elle n'a pas de père, elle a une grande famille pour l'entourer d'amour.

Faith sourit.

— Vous, en particulier. J'ai appris que vous aviez construit une maison de poupée pour chacune de vos nièces, que vous ne manquiez aucun de leurs événements scolaires et que vous entraîniez l'équipe de T-ball de Madeline depuis que son père est à l'étranger. Vous êtes vraiment l'oncle idéal !

Annelise fourra son pouce dans sa bouche et se nicha contre la poitrine de Faith.

Gabriel en éprouva un pincement de jalousie. Si seulement il pouvait en faire autant…

— J'ai l'impression que mes sœurs ont essayé de vous vendre la marchandise, dit-il, se reprenant.

Faith eut un petit sourire.

— On peut le dire.

Naturellement ! Gabriel poussa un soupir.

— Je plaisantais ! s'exclama Faith. Mais Theresa m'a raconté comment vous l'aviez suivie, un soir où elle sortait avec son petit ami et que vous lui avez fait la honte de sa vie en éclairant plein phares leur voiture !

— Theresa était trop jeune pour sortir et elle fréquentait un parfait imbécile !

— Elle m'a dit que vous étiez furieux contre elle.

Faith éclata de rire.

— Je n'ose imaginer votre réaction quand vos nièces seront assez grandes pour sortir avec des garçons ! Ou vos propres filles.

— Je n'aurai que des garçons, décréta brusquement Gabriel.

Il ne supporterait pas que quelque adolescent boutonneux entretienne à l'égard de ses filles les pensées qu'il entretenait à l'égard de Faith !

— De toute façon, mes nièces n'auront pas le droit de sortir avec des garçons avant l'âge de trente ans. Je vais construire une tour et les y enfermer comme des princesses de conte de fées.

— Et si une de vos princesses s'échappe ?

— Je la ramènerai de gré ou de force. Je connais les pensées des hommes et, avec cinq sœurs, je connais aussi celles des femmes.

— A quoi est-ce que je pense ? demanda Faith d'un ton provocateur.

L'expression de son regard fit circuler plus vite le sang de Gabriel dans ses veines. Le baiser. Elle pensait à leur baiser.

Non, impossible. Pas après ce qu'elle lui avait dit vendredi soir.

— Vous pensez soit que mes nièces sont les plus chanceuses du monde d'avoir un oncle tel que moi, soit les plus malchanceuses.

— Désolée. Vous êtes tombé à côté !

— Pas loin ?

— Très loin !

Elle prit la petite main d'Annelise.

— Tu vois, bébé, tu n'as pas de souci à te faire. Ton oncle Gabriel ne sait pas tout.

Il embrassa la tête de l'enfant.

— Peut-être, mais il donne les meilleurs baisers.

— C'est vrai.

Les joues de Faith s'embrasèrent.

— Enfin, je le suppose.

Un silence gêné s'installa entre eux. Gabriel se raidit imperceptiblement. A chacune de ses maladresses, ses chances d'obtenir la maison Larabee s'émoussaient un peu plus.

— Je suis navré, Faith.

— Pas d'excuses. Je pensais avoir été claire l'autre soir.

— Certainement. C'était tout de même ma faute.

N'arrêterait-il jamais de lui rappeler cette histoire ? Un pareil entêtement augurait mal de leurs relations futures.

Si les Logan connaissaient son peu d'expérience en matière d'enfant, ils ne lui confieraient certainement pas Annelise, se disait Faith, agenouillée sur le tapis de la salle de séjour, l'enfant dans les bras.

— Regarde les lumières, Annelise !

Faith lui désigna les lampes disposées de chaque côté de l'âtre de la maison de poupée.

L'enfant roucoula. L'intérêt qu'elle lui portait flattait la jeune femme mais elle craignait que, à tout moment, la petite fille se mette à hurler. En attendant, elle pouvait feindre être à sa place ici. Plus à sa place même que dans sa propre famille.

Ce qui ne l'aidait pas à maintenir ses relations avec Gabriel sur un terrain strictement professionnel.

— Que puis-je faire, bébé ?

Le gazouillement d'Annelise ressemblait à un encouragement à aller de l'avant.

— Si ça pouvait être aussi simple, mon cœur !

Partir équivaudrait à une fuite. Et elle avait envie de rester et de prouver aux Logan, et sans doute à elle-même, qu'elle était à la hauteur de leur confiance.

— Dans cette histoire, toi et moi, on fait équipe, tu sais.

Annelise joua avec une mèche de cheveux de Faith puis bâilla.

— Tu as eu une journée fatigante, lui chuchota Faith. Des cadeaux, un gâteau et puis le bain.

L'enfant s'étant barbouillée de chocolat, il avait, en effet, paru sage de la laver. Quand Kate lui avait demandé de l'aider, un vent de panique avait soufflé sur Faith. Mais elle avait réussi à prendre sur elle et à mener sa mission à bien.

Un poignant regret lui serra le cœur. Accaparée par sa carrière cinématographique et ses fiancés, elle s'était peu occupée de ses neveux et nièces. Mais la page était tournée. Une fois le Bed & Breakfast restauré et vendu, elle rattraperait le temps perdu.

Faith regarda autour d'elle la modeste mais confortable salle de séjour avec ses coussins brodés, son panier de jouets et un toboggan de plastique. Elle parlait de vie simple, réchauffée de sentiments sincères. Une vie à laquelle Faith aspirait de tout son cœur.

Sur ces entrefaites, Gabriel pénétra dans la pièce avec une part de gâteau au chocolat sur une assiette et vint s'asseoir près d'elle.

— Je vous apporte le calumet de paix.

— Pourquoi ?

— Pour m'être excusé une fois de trop.

Si elle voulait travailler avec lui, elle devait accepter la trêve. N'empêche qu'elle n'aimait pas du tout la façon dont son cœur battait dès qu'elle le voyait.

— Alors ? Vous ne pouvez rater le gâteau au chocolat de Cecilia.

— Il semble délicieux. Est-ce que tout le monde cuisine chez vous ?

— Tout le monde, sauf ma mère. Il faut dire que, entre l'aide qu'elle apporte à mon père sur l'exploitation et la gestion de Berry Patch, elle n'a guère le temps.

— Ça n'a pas dû être drôle pour vous tous les jours.

— J'ai renoncé depuis longtemps à croire que j'avais des parents idéaux.

Faith examina les portraits qui ornaient le manteau de la cheminée et les murs.

— A mes yeux, votre famille respire le bonheur.

Un bonheur qu'elle s'était résignée à ne jamais connaître. Le grand amour, ce n'était apparemment pas pour elle.

L'idée lui serra le cœur.

Gabriel haussa les épaules.

— Quelle est votre conception du bonheur ? demanda-t-elle.

— Une grande maison, une femme, une ribambelle d'enfants et un chien.

— Frank…

Gabriel hocha la tête.

De l'avoir vu jouer avec les filles de Cecilia avait un peu réconcilié Faith avec le monstre aux mâchoires puissantes. Peu de chiens auraient accepté avec une telle bonhomie le traitement que les petites lui faisaient subir.

— Ça vous rappelle votre famille.

— Sans doute.

Comme il lui tendait l'assiette, elle considéra avec envie le gâteau.

— Mes mains sont occupées.

— Je ne veux pas que vous vous sacrifiiez au nom de l'anniversaire de la petite !

Il préleva une part de gâteau sur la cuillère.

— Que diriez-vous d'une bouchée pour vous faire patienter ?

Leurs regards se croisèrent et il sembla à Faith que son cœur se décrochait. Elle resserra son étreinte autour de l'enfant. Elle devait se montrer forte, ne pas laisser deviner à Gabriel l'effet qu'il produisait sur elle.

Il sourit.

— Ouvrez la bouche.

Malgré elle, Faith obéit. Il glissa la cuillère entre ses lèvres et elle prit le morceau qui se mit à fondre sur sa langue.

— Alors ? demanda Gabriel.

Faith ferma les yeux et se lécha les lèvres.

— Parfait. Merci.

— Encore un morceau ?

Elle aurait volontiers accepté mais ce petit jeu la troublait trop.

— Vaut mieux pas.

— En êtes-vous sûre ?

Elle n'était malheureusement plus sûre de rien.

Gabriel Logan était un véritable danger public. Près de lui, elle se sentait vivante, belle, désirable. Malheureusement, sur le chapitre des hommes, elle ne pouvait se fier à son instinct.

Pourtant, ne put-elle s'empêcher de se demander en soutenant son regard, serait-ce forcément une erreur de s'attacher à lui ? Et s'il se créait entre eux un lien inattendu, rare… et précieux ?

8.

Il était là, enfin, son grand amour venu l'arracher à sa prison. Le chevalier noir escaladait sa fenêtre et, quand il s'agenouilla à ses pieds, son armure heurta les dalles du sol avec un bruit métallique. Pour elle, il avait défié des dragons, un traître et escaladé un mur recouvert d'épines.

Le cœur battant, elle le regarda porter une main gantée de fer à la visière de son armure et découvrir lentement un menton puissant, une joue ferme, des lèvres pleines.

Elle se mit à trembler. Enfin, elle allait voir le visage de son amour...

La sonnerie du réveil tira brutalement Faith de son rêve. Elle la coupa et regarda l'heure. 6 h 15. On l'attendait sur le chantier à 6 h 30. Il n'y avait pas une minute à perdre.

Quelques instants plus tard, elle retrouvait l'équipe assise sur les marches du porche.

— Gabriel a apporté du café et des beignets, annonça Bernie.

Eddie en prit un.

— Il a dû passer un bon week-end. Ça lui a adouci l'humeur.

J.T. tendit le sac à Faith.

— Qu'est-ce que vous préférez, sirop d'érable, crème noisette, chocolat ?

Faith s'approcha et examina le contenu du sachet.

— C'est une décision difficile.

— Ceux au chocolat sont excellents, intervint Gabriel.

Faith leva les yeux. Il se tenait près de la porte, une tasse de café à la main. En l'apercevant, elle sentit sa bouche se dessécher.

— Encore que Frank les préfère au sirop d'érable, ajouta-t-il.

Le chien était assis à l'extrémité opposée du porche, un beignet dans la gueule. En une bouchée, il l'engloutit.

— Sauvons les beignets au sirop d'érable ! s'écria Faith.

Frank poussa un bref aboiement et, instinctivement, Faith se recroquevilla sur elle-même. Après avoir constaté la manière dont il se comportait avec

158

les enfants, elle le savait inoffensif. N'empêche, elle préférait rester à l'écart.

Gabriel vint s'interposer entre eux. Sous la tendresse de son regard, elle frémit.

— Frank réclame juste un beignet, expliqua-t-il. Il ne vous veut pas de mal.

« Et vous ? » Malgré la présence des autres, sa proximité la troublait.

— Frank ! cria J.T.

Il jeta au chien un beignet au sirop d'érable.

— Prends le temps de savourer cette fois !

Faith tendit la main vers un beignet au chocolat mais, se ravisant au dernier moment, en choisit un à la crème de noisette. Elle ne voulait pas que Gabriel se figure qu'il avait influencé son choix.

Mais qu'allait-elle imaginer ? Comme si ses goûts pouvaient le moins du monde l'intéresser !

Elle mordit dans son beignet. Gabriel sourit.

— J'aime aussi ceux aux noisettes.

Faith faillit s'étrangler avec sa bouchée.

— Bon, maintenant que vous vous êtes restaurés, êtes-vous prêts à reprendre le travail ? demanda Gabriel. J'aimerais que nous conservions notre avance.

— Je comprends pourquoi tu nous as apporté ces gâteries ! s'exclama Bernie.

159

— C'est un truc pour nous faire travailler dur ! renchérit Faith.

— Vos feuilles de paie devraient y suffire.

— J'ai une feuille de paie, moi ?

En souriant, Faith s'essuya les doigts sur son jean.

— La pause est terminée, annonça Gabriel. Eddie, tu files au grenier, J.T. à l'étage, Bernie dans la cuisine !

— Et moi ? demanda Faith voyant les autres s'éloigner.

— Vous venez avec moi. Je vais vous montrer comment utiliser un pistolet à clous. Ainsi vous pourrez travailler sur les encadrements.

Elle hocha la tête, incapable de prononcer un mot.

Elle le suivit à la salle de séjour. Sur le sol, le pistolet, des tuyaux, un compresseur, des clous, des morceaux de bois et des lunettes de sécurité.

Il ramassa le pistolet.

— C'est un outil puissant et donc dangereux.

Il lui tendit une paire de lunettes.

— Première chose : que je ne vous vois jamais sans ou je supprime vos primes.

— C'est moi qui vous paie !

— Alors, vous nourrirez Frank.

— Mais vous n'en portez jamais !

— Moi, je suis entrepreneur.

— Ce n'est pas ce qui vous évitera de vous blesser !

— Je ne me blesse jamais.

Il se dirigea vers l'appareil et entreprit de lui en expliquer le fonctionnement. Cela ne paraissait pas trop sorcier et Faith appréciait sa patience. Enfin, il lui proposa de tenter l'expérience. Evidemment, elle ne réussit pas à raccorder le tuyau au compresseur.

— Que se passe-t-il ?

— La prise mâle dans la prise femelle. Laissez-moi vous aider.

Comme il posait ses grandes mains sur les siennes, elle les fixa, troublée.

— Vous avez compris ?

Se rendant compte qu'elle n'avait pas suivi ses explications, elle rougit.

— Pou… pouvez-vous me montrer encore ?

Il réitéra ses explications et elle s'entraîna jusqu'à ce qu'elle réussisse la manœuvre les yeux fermés.

— Je… je crois que j'ai compris.

Il retira lentement ses mains.

— Très bien.

Non, ce n'était pas très bien, car elle mourait d'envie qu'il continue de la toucher.

Il lui expliqua comment placer les rubans de clous dans la machine et comment fonctionnait la gâchette de sécurité.

— Maintenant, vous allez l'utiliser.

Il lui tendit l'appareil ainsi qu'un morceau de bois.

— Cramponnez le morceau et faites feu !

Faith pressa la détente et poussa un cri de douleur.

— Ça va ? demanda-t-il d'un ton inquiet.

— Ça va.

Elle ôta l'écharde de son doigt.

— Vous ne plaisantiez pas en disant de cramponner la pièce ! Ce truc a un recul terrible.

Il vint se placer derrière elle et posa ses mains sur les siennes.

— Je vais vous apprendre à le contrôler. Détendez-vous, ajouta-t-il, la bouche dans ses cheveux.

Facile à dire avec son haleine sur sa nuque qui la faisait frissonner de la tête aux pieds.

— Appuyez sur la gâchette.

Ce qu'elle fit.

— C'est mieux ?

— Beaucoup mieux.

Son corps se détendait contre celui de Gabriel ;

elle percevait les battements de son cœur dans son dos.

— Vous voulez essayer encore une fois ?

Faith hocha la tête. Elle avait si peu envie de quitter cette position. Les bras de Gabriel créaient autour d'elle un havre de sécurité. C'était pourtant dénué de sens. Il lui enseignait le maniement d'un outil, voilà tout.

— Vous avez envie d'y arriver, n'est-ce pas ? demanda-t-il.

Elle actionna de nouveau la machine.

— Oui.

— J'admire votre ténacité, Faith.

Il recula et sourit.

— Vous y êtes !

Oh ! Si seulement il avait pu dire vrai…

En quelques semaines, les travaux de démolition avaient été terminés et avaient laissé place aux plombiers et aux électriciens. Et le projet restait dans les limites du temps et du budget impartis. Gabriel s'émerveillait de l'aisance avec laquelle tout se déroulait et espérait que cela augurait bien pour l'avenir.

Si c'était un signe, Faith travaillait beaucoup mieux qu'il n'aurait jamais espéré. Il aimait sa compagnie, il aimait la voir travailler près de lui. Ses suggestions amélioraient la maison. Faith voulait peut-être la transformer en Bed & Breakfast mais, à son insu, elle en faisait un véritable foyer. Elle s'enorgueillissait de chaque étape du processus et s'extasiait sur le moindre détail. Sans hésiter, elle avait coiffé les casquettes d'apprentie, de décoratrice d'intérieur et d'ardente supportrice.

Il aperçut Bernie, assise sur le sol de la cuisine au milieu de ses outils.

— Où est Faith ?

— A l'étage. Elle s'occupe du placard de la chambre principale. Pourquoi ?

— Nous devons aller voir du carrelage à Portland.

— Naturellement, frangin. Amusez-vous bien.

— Tu n'as pas compris. Il s'agit d'achat de matériaux.

— Tu l'as déjà dit. Prenez du bon temps.

Cette fille était impossible ! Certes, Faith et lui s'entendaient bien, mais seulement dans le cadre du travail. A de rares exceptions près, ils ne prenaient même pas leur repas ensemble. Et les vendredis soir, à la Vigne, c'était l'équipe tout entière qui se retrouvait. Franchement, Bernie était stupide de faire pareilles allusions.

Du palier, Gabriel aperçut Faith qui travaillait, en

jean, T-shirt blanc, un masque de protection sur le visage et le pistolet pneumatique à la main.

Une bouffée de désir le souleva. Il s'y était habitué ; ça se produisait chaque fois que Faith se trouvait dans les parages, et il avait appris à s'en accommoder.

Il se réjouit de lui voir un sourire satisfait aux lèvres. C'était lui qui, en lui enseignant le maniement du pistolet, lui avait donné envie de sourire. Et il songea à d'autres choses qu'il pourrait lui enseigner et qui la rendraient heureuse.

Elle leva les yeux et, l'apercevant, lui adressa un signe de la main.

— Vous êtes prête ?

Elle souleva son masque.

— Prête pour quoi ?

— Nous allons à Portland voir ces reproductions de carrelage ancien que je vous ai montrées sur le catalogue.

— J'avais oublié que c'était aujourd'hui.

Elle regarda autour d'elle.

— Est-ce bien raisonnable ?

S'il appréciait sa conscience professionnelle, il estimait qu'elle avait beaucoup travaillé ces derniers temps et bien mérité une pause. Lui aussi, par la même occasion.

— Pas de problème. Les autres restent.

— Bon, d'accord. J'avoue que ça me fait plaisir.

Elle posa son appareil, non sans avoir enclenché la sécurité, et débrancha le tuyau.

— Je dois d'abord passer chez moi prendre mon sac et mes lunettes de soleil.

— Je vous attends devant la maison.

Comme elle descendait l'escalier, une ombre traversa la rue en courant puis une autre jaillit de derrière un pick-up garé dans le virage.

Faith tressaillit.

Gabriel s'approcha.

— Que…

L'éclair d'un flash l'aveugla.

— Faith ?

Elle le poussa rudement.

— Rentrons !

Mais il demeurait sur place, des taches de lumière dansant devant les yeux, tétanisé, impuissant à s'interposer entre Faith et le danger qui la menaçait.

— Venez, Gabriel ! dit-elle d'une voix impatiente.

Il fit l'effort de se déplacer, trébucha…

— Comment vous appelez-vous ? cria une voix d'homme. Etes-vous intime avec Faith Starr ?

— Vous êtes peut-être le fiancé numéro six ? s'enquit une autre voix. Avez-vous arrêté une date ?

Le feu croisé des questions l'empêchait de réfléchir. Enfin, sa vision s'éclaircit et il vit une horde de gens portant micros et caméras se précipiter vers eux.

Seigneur !

Gabriel fit demi-tour et heurta Faith qui se débattait avec la poignée de la porte. Il posa sa main sur la sienne et donna une forte poussée. La porte céda et ils s'engouffrèrent dans la maison. Comme un bruit de pas retentissait derrière eux, prestement, Gabriel claqua la porte et la referma à clé.

La sueur ruisselait le long de son dos et il haletait comme s'il venait de courir un marathon.

Faith, qui s'était adossée à la porte, se laissa glisser à terre et demeura prostrée, le visage livide.

— Faith ?

En la voyant sursauter, Gabriel sentit s'éveiller son instinct protecteur. Quand il posa une main sur son épaule, il détesta la façon dont elle se crispa.

Des martèlements ébranlèrent la porte et leurs noms furent criés.

— Ne les laissez pas entrer ! pria-t-elle, le regard rempli d'effroi.

— Qui « ils » ?

— Les journalistes. Je me demande combien ils ont payé pour me retrouver.

Et soudain, il prit conscience de la réalité. De sa

réalité à elle. Vivre avec une meute de loups jetée à ses trousses lui paraissait une épreuve insurmontable. De plus, il comprenait son amertume. Par intérêt, quelqu'un avait trahi son secret, quelqu'un de Berry Patch, un proche, peut-être.

— J'ai l'impression que le carrelage devra attendre, dit-elle. Désolée de vous gâcher la journée.

Il se moquait bien du carrelage. Il ne s'agissait pas seulement d'une journée gâchée, mais d'une vie !

— Je vais verrouiller les portes et je reviens, déclara-t-il.

De la véranda, il jeta un coup d'œil à l'extérieur. Les journalistes s'étaient rassemblés sous le porche, qui regardant par la trou de la serrure, qui prenant des photos. Il ferma à clé les portes de la véranda, de la salle à manger et de la cuisine.

A en juger par les deux minutes qui venaient de s'écouler, la vie de Faith sous la lumière des spots n'avait pas été si rose qu'on pouvait le croire. Il la regarda, blottie contre la porte, le seul endroit d'où l'on ne pouvait l'apercevoir de l'extérieur. Pour la première fois, il comprit la différence existant entre Faith Starr et Faith Addison. Et sa compassion alla aux deux.

Il ne s'étonnait plus qu'elle ait choisi de s'évader de son existence pour goûter une vie à peu près normale et stable à Berry Patch, le seul endroit où l'on n'attendait rien d'elle.

Ce qui n'était pas tout à fait exact. Il attendait quelque chose d'elle. Sa maison, bien sûr, mais aussi quelque chose de plus personnel. Et il en éprouva du remords. Faith méritait mieux, surtout de sa part.

Même s'il n'avait pas l'habitude de ces situations, il devait l'aider à surmonter cette épreuve.

Il vint s'asseoir près d'elle.

— Que puis-je faire ?

— Rien, répondit-elle les yeux brillants de larmes. Tous mes plans sont par terre.

— Ils finiront bien par partir.

— Ils ne renoncent jamais ! Et maintenant, tout le monde saura que j'ai acheté cette maison, on me suivra partout en ville, on épiera mes moindres gestes, les gens me traiteront différemment, termina-t-elle en étouffant un sanglot.

Un sentiment d'impuissance submergea Gabriel. Qu'on lui mette dans les mains un marteau, des plans ou qu'on le confronte à une bonne bagarre de chantier, il s'en sortirait toujours. Mais dans ces circonstances…

Elle enfouit son visage dans ses mains et le cœur de Gabriel se brisa. Un puissant besoin de la réconforter s'empara de lui.

— Faith…

— Donnez-moi un instant.

Il l'attira à lui. Elle se raidit tout d'abord dans ses bras mais il n'avait pas l'intention de la laisser échapper. Doucement, il la berça contre lui et, peu à peu, elle cessa de lutter.

Il lui caressa doucement la tête. A chaque passage de sa main, il sentait sa tension diminuer jusqu'à ce qu'elle s'abandonne complètement dans ses bras.

Au contact des douces courbes de son corps, son désir s'alluma. Pas question pourtant de s'écouter. A ce moment précis, Faith avait besoin d'un ami, pas d'un amant. Délicatement, il effleura ses cheveux d'un baiser.

Elle le regarda à travers ses cils humides. Il avait tant envie de l'embrasser mais il n'osait pas avec tous ces gens qui les guettaient de l'autre côté de la porte.

Un bruit de dégringolade dans l'escalier produisit sur lui l'effet d'une douche froide. D'un bond, Faith s'arracha à son étreinte.

Bernie fut la première en bas.

— Qu'est-ce que…

— Ecarte-toi de la fenêtre ! lui cria Gabriel.

Elle s'accroupit et rampa vers eux. J.T. et Eddie,

parvenus à leur tour au rez-de-chaussée, l'imitèrent.

— D'où sortent tous ces gens ? demanda J.T. La rue grouille de voitures et de camions avec des antennes satellites.

— Ils guettaient notre sortie, expliqua Gabriel.

— Je crois que *Extra !* est là ! s'exclama Eddie.

— J'appelle la police, dit Bernie, sortant son portable de sa poche.

Au même moment, une sirène retentit.

— On dirait qu'ils sont déjà en route.

Mais que pourraient les autorités pour Faith ? Pas grand-chose, conclut Gabriel, le cœur lourd. Il fallait donc trouver une autre solution.

— Appelle Henry, dit-il à sa sœur. Lui saura quoi faire.

Il se tourna vers les garçons.

— Vous deux, masquez les fenêtres avec du papier journal, des sacs poubelles, tout ce qui vous tombera sous la main !

— On y va, patron, dit J.T. se dirigeant vers la cuisine.

La main de Faith se posa sur la sienne, si petite, si douce et si forte à la fois. Il lut dans son regard qu'elle avait repris courage et il en éprouva de l'admiration pour elle.

— Merci, dit-elle.

— Je ferai mon possible pour que nous sortions indemnes de cette histoire.

— Nous ? répéta-t-elle d'un ton plein d'espoir.

Il lui serra la main.

— Oui, nous.

Alors, elle se pencha et lui donna un baiser à pleine bouche. Quand elle se redressa, Gabriel la contempla, incapable de prononcer une parole, de penser ou même de respirer.

Faith sourit doucement.

— Dans ce cas, il va falloir que nous agissions.

Naturellement, dès la nouvelle annoncée à l'antenne, sa mère avait bondi sur le téléphone. Et, à présent, installée sur le canapé des dépendances, Faith s'efforçait de la rassurer.

— Tout va bien, je t'assure, maman. Le shérif s'est montré très compréhensif. Il a fait établir un cordon de sécurité autour de la maison pour empêcher les médias et les curieux de nous harceler et il envoie régulièrement des patrouilles. Je ne crains rien ici.

En outre, à quelques pas de la porte était garé un camping-car flambant neuf, cadeau d'Henry pour permettre à Gabriel, J.T. et Eddie de monter la garde autour d'elle. Et puis, il y avait Frank, le plus génial des gardes du corps, couché en travers de la porte.

Elle lui jeta un cookie.

— Mais pourquoi restes-tu à Berry Patch ? Ta place est près de nous, dit Starr Addison d'un ton plaintif.

— Je dois m'occuper de la restauration.

— Starr Properties peut très bien racheter la maison Larabee et superviser les travaux.

— Je tiens à le faire moi-même.

— Tu n'as rien à prouver, tu sais, ma chérie, dit doucement Starr.

Ce n'était pas l'avis de Faith et des larmes d'amertume lui piquèrent les yeux.

— Sais-tu, ma chérie, que Starr Properties cherche à acheter la maison Larabee depuis deux ans ?

— C'est vrai ?

— Mais oui ! Seulement, chaque fois que Will prenait contact avec Olivia Larabee, elle refusait de discuter sous prétexte qu'elle avait une offre d'un ami de la famille. Tu te rends compte, Faith ? Tu as réussi là où nous avons échoué. Ton père et ton frère vont être impressionnés.

Le cœur de la jeune femme se gonfla de fierté. Si elle n'avait pas atteint le but fixé, elle n'avait pas non plus lamentablement échoué.

Elle lança à Frank un cookie et en prit un pour elle.

— Il est temps de rentrer à la maison, ma chérie.

— Je rentrerai quand j'aurai vu mon projet concrétisé.

— Tout le portrait de ton père et de ton frère !

Faith se rengorgea car elle prenait cette remarque comme un compliment.

— Merci.

— As-tu une autre raison de rester là-bas ?

Faith soupira.

— Mon entrepreneur.

— Crois-tu que ce soit une bonne idée ?

— Je n'en sais rien.

Le silence s'étira.

— Que se passe-t-il, Faith ? demanda enfin Starr.

— C'est... c'est compliqué.

— Evidemment, dès qu'il y a un homme dans l'histoire, les choses ne sont jamais simples !

— Ne t'inquiète pas. Il s'appelle Gabriel Logan.

Le seul fait de prononcer son nom fit courir des frissons le long de son dos.

— Il est... charmant. Tu l'aimerais, j'en suis sûre.

174

Il fait du bon travail sur la maison et il a pris ma sécurité à cœur.

— L'homme idéal, en quelque sorte.

— En quelque sorte…

Mais comment en être sûre ?

— Sois prudente, Faith, lui conseilla sa mère.

— Je le serai maman. Je me suis si souvent brûlé les ailes…

— Il arrive à tout le monde de se tromper.

— Dans le domaine sentimental, je bats tous les records ! Si ça se trouve, Gabriel n'est pas mieux que les autres.

Starr émit un claquement de langue réprobateur.

— Ne te sous-estime pas, Faith. On ne peut être sûr que Gabriel te soit destiné mais les mauvaises expériences ne doivent pas t'empêcher d'ouvrir ton cœur. L'amour vaut qu'on prenne des risques.

— Je crois avoir déjà donné…

Starr rit.

— J'imagine que tu as besoin de rester à Berry Patch le temps d'y voir plus clair. Nous allons prendre contact avec une société de sécurité et t'envoyer des gardes du corps.

— Inutile, maman ! Je t'assure. Avec Gabriel et deux membres de l'équipe qui campent devant

175

ma porte, je ne crains rien. Et, en plus de mes trois mousquetaires, j'ai un énorme chien qui veille à ma sécurité.

— Mais tu détestes les chiens !

— J'en ai peur, rectifia la jeune femme. Mais Frank et moi avons passé un accord : il garde ses distances et je le gave de nourriture.

— Méfie-toi : la plupart des chiens sont allergiques au chocolat.

Faith regarda le paquet de cookies sérieusement entamé, puis Frank. Il ne semblait nullement incommodé. La plupart des chiens étaient peut-être fragiles du foie, mais pas lui. Par précaution, elle referma quand même le paquet.

— Je ne lui donnerai pas de chocolat.

Frank poussa un gémissement.

« Désolé, mon vieux », articula-t-elle.

— Tiens-nous au courant, ma chérie.

— Je te le promets.

— Et pas seulement de l'évolution des travaux.

Faith ne put retenir un sourire.

Un sentiment était né entre Gabriel et elle, un sentiment qui défiait la logique et qu'elle n'avait partagé avec personne. Gabriel était devenu son point d'ancrage dans un univers chaotique, sa source de force. Mais les sentiments qu'elle éprouvait pour lui allaient bien au-delà de la gratitude pour le soutien et l'amitié qu'il lui offrait.

Et la petite flamme d'espoir que Faith n'osait plus entretenir reprit un peu de vigueur.

Elle avait renoncé à trouver le grand amour mais peut-être son grand amour l'avait-il trouvée ?

9.

Toutes sirènes hurlantes, un car de police se fraya un passage dans la circulation qui encombrait les abords de la maison Larabee. Un hélicoptère de presse tournoyait au-dessus de leur tête mais Faith n'y prit pas garde. Après deux jours passés enfermée dans les dépendances à feuilleter des catalogues de fournitures, elle avait finalement décidé de se remettre au travail.

Elle avait laissé trop longtemps les paparazzi lui empoisonner la vie, décida-t-elle en armant le pistolet. Cette période de sa vie appartenait au passé.

Frank aboya et s'assit.

Le pistolet dans sa main crispée, Faith regarda la porte et vit entrer Gabriel, un verre à la main, un journal dans l'autre. Sa vue lui procura un immense plaisir.

— Bonjour, dit-elle d'une voix légèrement enrouée.

Il lui sourit.

— J'admire votre courage !

— Le travail n'attend pas !

Elle considéra le placard qu'elle était en train de terminer.

— Peut-être devrais-je m'accorder une prime.

— Ça grèverait le budget !

Il lui tendit le verre muni d'une paille.

— Contentez-vous plutôt de ça !

Elle posa son outil sur le sol et but une gorgée de son milk-shake chocolat noisette.

— Continuez de m'apporter ce genre de remontant et je termine en un clin d'œil !

Mais la plaisanterie ne le fit pas rire.

— Quelque chose vous contrarie ?

Il hocha la tête.

La gorge de Faith se noua. Qu'est-ce qui le mettait dans cet état ? Elle s'approcha.

— Qu'y a-t-il ?

Il déplia le journal. Sur la couverture de *Secrets de la semaine* s'étalait une photo représentant Gabriel, une cuillère pleine de gâteau au chocolat, occupé à lui donner la becquée. La légende disait : « S'agit-il d'un entraînement en vue d'un proche mariage ? Qui est le mystérieux fiancé de Faith ? »

Faith eut la sensation que son sang se retirait de son visage.

— Asseyez-vous, dit Gabriel, la prenant par le bras.

Mais elle demeurait immobile, fixant d'un œil éteint la photographie. Leur attitude évoquait une tendre intimité. Et le cliché était pris de telle façon que son regard brillant de plaisir visait Gabriel, et non le gâteau au chocolat. A dire vrai, en retour, le regard de Gabriel était tout aussi ardent.

Une infinie tristesse l'envahit. Elle avait cru trouver un asile à Berry Patch mais elle se trompait. Une fois de plus, on l'avait trahie.

— De qui peut-il s'agir ?

— Je l'ignore mais j'ai bien l'intention de le découvrir.

Faith n'arrivait pas à détacher son regard de la photo.

— On ne devinerait jamais que je tiens Annelise sur mes genoux...

— On voit ici quelques mèches de ses cheveux, dit-il en désignant un endroit de la photo, mais il faut être au courant.

C'était justement sur ce flou que misaient les directeurs de ces torchons. Faith en avait l'habitude mais pas Gabriel. Et elle s'en voulait terriblement

180

de l'avoir entraîné dans ce cauchemar. Certains petits amis appréciaient la publicité que leur valait le fait de sortir avec Faith Starr. D'autres en avaient tiré profit. Mais Gabriel n'appartenait ni à l'une ni à l'autre catégorie.

Elle serra ses bras sur sa poitrine.

— Je suis désolée de vous avoir entraîné dans cette histoire.

Il glissa un doigt sous son menton.

— Ce n'est pas votre faute.

— Mais…

— Il n'y a pas de mais !

Il plongea son regard dans le sien.

— Tout va s'arranger.

— J'ai l'habitude qu'on viole ma vie privée mais pour vous, c'est la première fois.

— Vous oubliez mes cinq sœurs.

Il éclata de rire.

— Ne vous inquiétez pas ; je gérerai.

— Je vous sais capable de tout.

Il caressa sa joue de son pouce, faisant courir dans son dos des ondes de plaisir.

— Je découvrirai qui vous a trahie.

Un mélange de respect et d'admiration la souleva. Il allait se battre pour elle. Comment avait-elle pu douter de lui un seul instant ? Cependant, bien qu'infiniment touchée par son geste, grâce à lui, elle se sentait assez forte pour s'en sortir toute seule.

— Ne vous donnez pas cette peine.

— J'y tiens.

— Prenez garde. Vous pourriez ne pas apprécier ce que vous découvrirez.

— C'est mon problème.

Il posa une main sur sa joue.

— Je veux prendre soin de vous.

— Ton quart d'heure de gloire est passé, déclara Gabriel en jetant l'abject tabloïd sur le bureau de sa mère. Je sais que c'est toi qui nous as vendus.

Veronica leva un sourcil impeccablement dessiné.

— Nous ? Je croyais qu'il s'agissait de Faith.

— Naturellement qu'il s'agit de Faith ! Pourquoi ? Pourquoi as-tu fait ça ?

— J'ai seulement pris la photo et rédigé le mail. C'est ton père qui a appuyé sur la touche « envoi ».

A l'entendre, il se serait agi d'une simple plaisanterie entre copains.

Gabriel fourragea dans ses cheveux.

— Qu'avais-tu en tête ?

Veronica soutint hardiment son regard.

— Faith ne s'éternisera pas à Berry Patch.

— Et ça te donne le droit de lui pourrir la vie ?

— Elle est actrice ; elle a l'habitude.

— Faith *était* actrice. Elle a renoncé à sa carrière.

— C'est mon devoir de maire de ne pas laisser passer une telle opportunité pour notre ville. Tu te rends compte, tous ces curieux qui prennent d'assaut le drugstore, le supermarché, la station-service, sans parler des restaurants ? C'est une véritable aubaine pour Berry Patch. Grâce à moi, notre ville existe sur la carte du pays !

Gabriel serra les poings. Comme d'habitude, sa mère faisait passer l'intérêt de sa ville avant celui de ses enfants.

— Tu as pensé à moi ?

— Mais, mon chéri, ta cote de popularité auprès des femmes va monter en flèche ! Toi qui avais déjà un succès fou, tu ne sauras plus où donner de la tête !

— Je ne te parle pas de ça ! Tu m'avais promis de garder le secret !

— Je suis désolée.

— Ça ne suffira pas, maman.

A cet instant, il ne savait pas à qui il en voulait le plus de sa mère ou de lui-même. Il n'avait pas été tout à fait loyal envers Faith. Sa mère avait du moins les intérêts de sa ville à cœur ; lui n'avait que son envie de posséder la maison.

— Tu as transformé la vie de Faith en enfer, tu te rends compte de ça ? Je ne serais pas autrement surpris qu'elle quitte la ville !

Mais n'était-ce pas exactement ce qu'il souhaitait ?

Jusqu'à présent, oui, mais plus maintenant.

Les yeux de sa mère s'emplirent de larmes.

— Je veux qu'elle quitte la ville.

— Je croyais que tu l'aimais bien ?

— Je l'aime bien mais je me fais du souci à ton sujet.

C'était bien le dernier argument auquel s'attendait Gabriel. Il prit place dans un fauteuil, face au bureau de sa mère.

— Pourquoi ?

Veronica désigna la photo du journal.

— Tu es tombé amoureux d'elle !

— Ce n'est qu'une photo.

— Pas seulement. J'ai vu la façon dont tu la regardais à l'anniversaire d'Annelise. Tu éprouves des sentiments pour Faith.

Il s'étonna d'être aussi transparent.

— C'est vrai, mais c'est une cliente.

— Elle représente beaucoup plus que ça.

184

L'image de Faith se forma sous ses yeux, avec cette expression dans le regard qui lui donnait la sensation d'être capable d'abattre des montagnes, son généreux sourire qui lui mettait du baume au cœur et son menton plein de défi qui affirmait qu'elle était bien plus que l'actrice choyée pour qui il l'avait tout d'abord prise.

— Et tu penses qu'un petit entrepreneur n'est pas assez bon pour une vedette de l'écran ?

— Oh, non, Gabriel, ce n'est pas ça du tout ! Tu es trop bien pour Faith Starr, et je ne veux pas qu'elle te brise le cœur comme Lana.

Gabriel avait déjà comparé les deux femmes. Toutes deux étaient ambitieuses et regardaient beaucoup plus loin que Berry Patch. Mais il existait un fossé entre elles.

— Faith n'est pas Lana.

— Je suis d'accord. Elle est pire. Elle a été fiancée cinq fois et cinq fois, elle a rompu. Ça en dit long sur le personnage, non ?

A une époque, il partageait le point de vue de sa mère, mais plus depuis qu'il avait appris à connaître Faith. Le doute l'effleura toutefois.

— Non, maman. Elle est courageuse, dévouée et déterminée. Elle ne se plaint jamais.

— N'empêche qu'elle a clairement fait savoir

qu'elle n'avait pas l'intention de s'installer à Berry Patch.

Le cœur de Gabriel se serra. Que répondre à cela ?

— C'est pourquoi j'ai décidé d'accélérer les choses en envoyant ce courrier à *Secrets de la semaine*.

Le regard de Veronica s'attendrit.

— Je l'ai fait pour toi, Gabriel.

L'émotion submergea ce dernier. Sa mère se montrait d'ordinaire si peu maternelle. Malheureusement, le résultat dépassait tout ce qu'il aurait pu imaginer de pire.

— Pourras-tu jamais me pardonner ?

— Oui, naturellement.

La question était plutôt de savoir si Faith lui pardonnerait de l'avoir mise dans cette situation ? Il ne pouvait lui avouer ses sentiments. Pas après la trahison de sa mère.

Et la sienne propre…

Installée sur le canapé de son logement provisoire, Faith se pencha vers Gabriel.

— Alors, que vouliez-vous me dire ?

— Je vais ranger d'abord.

Il se leva afin de débarrasser la table basse des reliefs de leur repas.

186

— Voulez-vous un dessert ? Ou une boisson ? proposa-t-elle.

— Non merci.

Elle tapota le coussin à côté d'elle.

— Venez vous asseoir.

Il vint prendre place sur le canapé, mais à l'autre extrémité. Faith en éprouva de la tristesse. Elle était tellement habituée à sa tendre présence. Que lui arrivait-il ? Etait-il las d'être toujours celui qui donnait quand elle se contentait de recevoir ?

— Vous semblez… nerveux. Voulez-vous que je vous masse les épaules ?

— Euh, non, merci.

Décidément, quelque chose n'allait pas.

— Que se passe-t-il ?

Voyant le visage de Gabriel se fermer, Faith éprouva une soudaine appréhension.

— Vous me faites peur !

— Je suis si… Je n'aurais pas voulu que…

Il prit une profonde inspiration.

— Je sais qui a pris la photographie et l'a envoyée à ce torchon.

Un lourd silence tomba entre eux.

Faith ne savait que dire. Elle se doutait qu'il s'agissait d'une personne présente à la fête d'anniversaire d'Annelise, donc quelqu'un de l'entourage proche de Gabriel. Elle connaissait le côté obscur de la nature humaine, mais pas Gabriel. Et elle éprouvait du chagrin de le savoir blessé, par son fait de surcroît.

Elle lui serra la main, tentant par ce geste de lui apporter un peu de réconfort.

— C'est ma mère, dit-il enfin.

La surprise la terrassa. Elle avait soupçonné Lucy, peut-être même Eddie, adorable mais si maladroit. Mais Veronica Logan ?

— Pourquoi ?

— Elle a pensé qu'un peu de publicité ne ferait pas de mal à Berry Patch.

Les lèvres de Faith se crispèrent.

— Elle ne voulait pas vous nuire, ajouta-t-il.

— Et à vous ? A-t-elle pensé à vous dans cette histoire ? S'est-elle demandé comment vous réagiriez ?

— Je crois que oui.

Il soupira.

— Vous m'avez prié de ne plus m'excuser mais tout ceci me désole. Je comprendrais que vous me détestiez.

La tristesse de sa voix serra le cœur de Faith. Elle pressa sa main.

188

— Je ne vous déteste pas. Je ne vous détesterai jamais.

— Mais, ma propre mère…

— Vous n'avez pas à vous sentir responsable de ses actes, dit doucement Faith. Bien sûr, j'aurais préféré qu'elle s'abstienne d'un tel geste, mais le mal est fait, il faut vivre avec.

— Comment arrivez-vous à vous montrer aussi sereine ?

— J'ai été trahie par mon fiancé. Et, croyez-moi, c'est pire.

« Ç'aurait pu être vous. »

Faith chassa la pensée. Impossible. Tout son être se révoltait à cette idée. Gabriel l'avait soutenue sans faiblir ces deux derniers jours. Et sa franchise dans cette affaire prouvait qu'elle avait raison de lui faire confiance.

Cette certitude emplit son cœur d'allégresse.

— Je veux faire quelque chose pour vous, dit-il.

— Vous avez déjà tant fait.

— Pas assez.

Il glissa un bras autour de ses épaules.

— Je voudrais vous aider à traverser au mieux cette épreuve mais j'ignore comment.

Faith avait une petite idée sur la question. Consciente

189

de cette force inconnue qui grandissait en elle, elle n'avait plus peur d'affronter son désir.

Elle lui adressa son regard le plus provoquant. C'était curieux, elle avait passé des heures à travailler ce regard avec son réalisateur pour qu'il soit juste mais avec Gabriel, il devenait une seconde nature.

— Je vais vous montrer…

L'éclat du regard de Gabriel ne faisait qu'accroître son sentiment de puissance.

Il se rapprocha.

— A quoi jouez-vous ?

— Je suis le réalisateur. Faites-moi face.

— Comme ça ?

— Parfait, dit Faith, le cœur battant. Maintenant, fermez les yeux.

Il obtempéra.

— Et puis…

L'attente devenait insoutenable.

— … tournez !

Elle effleura ses lèvres, goûtant leur douceur, leur tendreté, leur fermeté. Mais elle voulait davantage. N'y tenant plus, elle pressa ses lèvres sur les siennes et l'embrassa à pleine bouche. Sa fièvre le surprit.

— Coupez ! dit-il mettant fin prématurément à leur baiser.

Faith ouvrit les yeux.

190

— C'est moi qui commande !

— Désolé, mais vous avez la tête ailleurs.

— Comment ça ?

— Parfaitement ! Il faut recommencer.

L'impatience de Faith était à son comble.

— S'il le faut…

Il sourit.

— Je vous fais face, je ferme les yeux et…

— … tournez !

Ses lèvres étaient déjà sur les siennes réclamant leur dû. Il referma ses bras sur elle et Faith s'abandonna avec délices à son étreinte. Elle aurait voulu que ces instants ne finissent jamais.

Il emmêla ses doigts à ses cheveux et Faith trembla sous la douceur de la caresse. Ses lèvres se firent exigeantes sans pour autant parvenir à étancher sa soif. Ses mains se promenaient sur la puissante colonne du dos, si forte, si solide.

— Nous devrions arrêter avant qu'il ne soit trop tard, chuchota-t-il contre ses lèvres.

Elle n'avait aucune envie d'arrêter. Sachant pourtant que c'était la seule conduite possible, elle se redressa.

— Faith…

— Ne t'avise pas de t'excuser ! s'exclama-t-elle.

Il sourit.

— Je ne regrette absolument pas de t'avoir embrassée ! Je voulais juste savoir quand nous pourrons travailler la prochaine séquence…

— Bientôt, répondit-elle en riant. Très bientôt.

10.

Juchée sur un tabouret de vinyle rouge du Berry Bistro, Faith sourit à Gabriel par-dessus son menu.

— C'est un rendez-vous ?

Il tressaillit puis sourit.

— Oui. Ça te dérange ?

— Non.

Elle lui adressa un clin d'œil.

— Il était temps.

Rien n'était plus vrai. Faith n'aurait su définir la nature de sa relation avec Gabriel ces dernières semaines mais qu'importait quand il la couvrait de baisers et d'attentions ? Et puis, les travaux de restauration s'achevaient.

Jamais elle n'avait été si heureuse.

— Je veux fêter le départ de la presse...

Elle posa une main sur la sienne.

— Et aussi te remercier de m'avoir soutenue.

Il retourna sa main sous la sienne pour s'en emparer.

— Remercie plutôt Rio Rivers d'avoir détourné l'attention sur lui en demandant la main de cette chanteuse pop en plein concert !

— La pauvre…

Faith écarta bien vite la pensée. Aujourd'hui, rien ne pouvait gâter sa belle humeur.

— J'aime cet endroit, dit-elle en embrassant du regard la salle remplie d'habitués venus commenter les événements locaux.

Sur chaque table trônaient un bouquet de fleurs fraîches et une bougie. Les serveuses portaient jupe rose, chemisier blanc, tablier bordé de dentelle et souriaient volontiers.

— C'est ici qu'Henry a rencontré Elisabeth ?

Gabriel hocha la tête.

En le regardant, une douce émotion s'empara de Faith. Voilà, c'était arrivé. Elle avait trouvé l'homme de sa vie. Leur belle entente, leurs baisers le proclamaient bien haut.

— Henry m'a dit qu'on t'avait proposé un rôle. Est-ce une autre occasion à fêter ?

— Malgré le succès de *Jupiter Tears*, je n'ai plus envie de tourner.

— Tu es sûre ? demanda Gabriel après quelques instants.

— Absolument sûre.

Et, en effet, Faith n'avait plus aucune hésitation à ce sujet. Pour la première fois de sa vie, les choses étaient claires. Enfin réconciliée avec son passé, elle abordait l'avenir avec optimisme.

— Ça ne fait pas partie de mes projets.

— Et qu'est-ce qui en fait partie ?

« Toi. » Grâce à Gabriel, elle se reprenait à croire à l'amour et au bonheur. Si seulement elle savait comment s'y prendre pour faire de son rêve une réalité…

— Gabriel ? fit une voix de sirène.

Une jolie jeune femme aux longs cheveux blonds s'approchait de leur table. Dans sa minijupe de denim qui accentuait le balancement de ses hanches, elle était l'incarnation même de la sensualité. Et son regard était rivé à Gabriel.

« Essaie seulement ! » pensa Faith avec férocité.

Gabriel se leva.

— Bonjour, Lana.

Elle l'embrassa sur la joue.

— Ça fait si longtemps…

Faith ne manquait pas un mot de l'échange. Tout en se montrant amical, Gabriel gardait ses distances.

— Est-ce que tu vis toujours à Seattle ? demanda-t-il.

Lana hocha la tête.

— Oui. Comme je devais me rendre à San Francisco, je me suis arrêtée quelques jours à Berry Patch pour voir ma mère.

Gabriel désigna Faith.

— J'aimerais te présenter quelqu'un.

Faith sourit.

La jeune femme la dévisagea longuement puis son regard s'éclaira.

— C'est donc vrai ce que racontent les tabloïds ? Toutes mes félicitations !

— Faith Addison, dit Faith en lui tendant la main.

— Lana Logan.

— Une cousine ?

— Non ! répliqua en riant Lana.

Faith croisa le regard sombre de Gabriel.

— Lana est mon ex-femme.

Faith eut l'impression que son univers s'écroulait. Gabriel était donc divorcé ? Les pensées se bousculaient dans sa tête.

Gabriel s'était lancé dans l'aventure du mariage et il avait échoué. La pensée la fit frissonner. Grâce à son entraînement, elle parvint toutefois à soutenir avec Lana une conversation à propos de *Jupiter Tears* alors que dans son esprit régnait le plus complet chaos.

Chez les Addison, on croyait à l'amour éternel. Elle aussi y croyait, mais pas Gabriel, apparemment. Pouvait-il après cette révélation être encore l'homme de sa vie ?

— Ravie de vous avoir rencontrée, Faith, disait Lana.

Elle embrassa Gabriel sur la joue.

— Bonne chance !

— Toi aussi, Lana. Et sois prudente sur la route.

Décidément, Gabriel ne pouvait s'empêcher de laisser parler son instinct de protection, même avec son ex-femme.

Il essuya les traces de rouge à lèvres de son visage et se rassit.

— C'est une rencontre... plutôt gênante.

— Pas de problème, répliqua-t-elle froidement.

— J'espère que ça ne t'a pas gênée que je te présente dans ces circonstances.

L'ancienne Faith aurait vaguement marmonné que non avant de fuir. C'est d'ailleurs ce qu'elle fut tentée de faire. Elle ne pouvait toutefois renier ce qu'il était devenu pour elle au fil du temps.

— A vrai dire, j'aurais préféré apprendre autrement ton divorce.

Le front de Gabriel se plissa.

— Les hommes n'aiment pas dévoiler leurs faiblesses.

— Les femmes détestent découvrir l'existence d'une ex au moment des présentations ! Cette fois, tu peux t'excuser.

— Je suis désolé…

Faith ne s'en sentit pas mieux pour autant.

— Je voulais oublier cet épisode sombre de ma vie. Tu comprends, Lana et moi n'avions que dix-huit ans quand nous nous sommes mariés. Et, évidemment, moins d'un an plus tard, nous étions divorcés.

— N'avez-vous pas essayé de passer outre vos différends ?

— Non.

— Rencontré un conseiller conjugal ?

— Franchement, il n'y avait rien qui vaille la peine d'être sauvé dans notre union. C'est pourquoi le divorce était inévitable.

— Le divorce n'est jamais inévitable ! Que fais-tu des compromis ?

— J'en ai appris l'art avec toi, dit-il avec regard

qui la remua. Notre collaboration sur la maison est le fruit de constants compromis.

— Style victorien, version Craftsman ?

— Peinture vert cendré version céladon ?

— Tentures version stores dans la salle de bains.

Ils éclatèrent de rire.

— Ça n'a pas toujours été facile, mais en nous ouvrant aux compromis, nous sommes parvenus à une harmonie…

La mâchoire de Gabriel se durcit.

— Seulement, notre mariage ne fonctionnait pas du tout ainsi. J'avais mon idéal d'existence et je voulais l'imposer à Lana sans m'interroger sur sa propre vision des choses. Résultat : j'ai misé sur l'amour éternel et me suis retrouvé divorcé à dix-neuf ans.

— Tu crois donc que le mariage peut durer toute une vie ? demanda Faith, retenant son souffle.

— Oui.

Elle exhala un soupir.

— Moi aussi.

Elle ne s'était pas trompée au sujet de Gabriel Logan. Divorcé ou pas, c'était bien Lui. Restait à trouver le moment idéal pour le lui dire…

Gabriel attendait le moment de demander à Faith de rester à Berry Patch mais, chaque fois, quelque chose ou quelqu'un venait se mettre en travers de sa route. Cela ne se reproduirait plus. La maison était terminée, le départ de Faith imminent. C'était aujourd'hui ou jamais.

Elle battit des mains.

— C'est parfait ! Tout simplement parfait !

C'était elle qui était parfaite. Il avait tout prévu. Il lui ferait sa demande au pied de l'arbre où ils s'étaient rencontrés. Ils se marieraient à Lake Tahoe puisque la mère de Faith n'aimait pas voyager et ils donneraient une fête à Berry Patch au retour de leur voyage de noces. Ils habiteraient la maison Larabee avec Frank et envisageraient très vite de faire des enfants.

Ce serait une vie de famille parfaite dans une maison et un environnement de rêve.

Faith courait de pièce en pièce et son enthousiasme était contagieux.

— Will va être fou quand il découvrira l'endroit !

— Ton frère ? Il va venir ?

— Mon père et mon frère.

Gabriel sourit. Ce serait l'occasion de demander sa main dans les règles.

— J'ai tellement hâte de leur faire visiter Gables Inn.

Le sourire de Gabriel s'évanouit.

— Parce que…

— C'est le nom que je lui donnerai, décréta-t-elle avec un grand sourire. Ce sera le joyau de la couronne de Starr Properties !

— Je ne comprends pas. Starr Properties appartient à ta famille ?

— Oui.

— Mais la maison Larabee t'appartient.

— Plus pour longtemps. Je la leur vends.

— Pourquoi ? demanda-t-il d'une voix éteinte.

— Ça fait partie de mon projet…

Faith caressa la balustrade de bois.

— Encore que cette vieille maison va me manquer. Je m'y sentais chez moi. Enfin, je pourrai toujours y descendre quand je ferai le tour de nos propriétés dans le cadre de mon nouvel emploi.

Gabriel essayait de remettre de l'ordre dans ses idées. La maison s'éloignait de nouveau ; jamais il n'en serait propriétaire. Et celle qui brisait son rêve piaffait d'impatience de quitter la ville pour commencer une nouvelle existence.

— Sais-tu que ma famille cherchait à acheter cette propriété depuis des années mais que Mlle Larabee refusait de la leur vendre parce qu'elle l'avait promise à un ami ? demanda Faith d'une voix vibrante d'excitation. Heureusement, je suis arrivée !

— Elle l'avait effectivement promise, répliqua Gabriel d'un ton sec. A moi.

Les yeux de Faith s'agrandirent.

— Je rêve de cette maison depuis mon enfance, et Mlle Larabee devait me la vendre jusqu'à ce qu'elle reçoive une offre « trop avantageuse pour être refusée ».

Faith pâlit.

— Je ne me doutais pas que… pourquoi ne m'en as-tu rien dit ?

Lui dire ? Mais son amour pour la maison, pour elle, éclatait dans tous ses actes ! Si elle avait le moins du monde tenu à lui, elle s'en serait aperçue.

Ce constat l'anéantit sans qu'il en laisse rien paraître.

— Pourquoi ? répéta-t-elle.

— Henry m'avait confié que tu comptais vendre la maison une fois restaurée, alors j'ai cru que je pourrais la racheter.

— Pendant tout ce temps, tu envisageais de racheter la maison ?

Gabriel hocha la tête.

— J'y tiens plus que tout au monde.

202

— Je vois.

— C'est vrai, Faith ? Tu comprends que cette maison n'est pas destinée à devenir un Bed & Breakfast mais à abriter une famille ?

— Une famille…, répéta-t-elle.

Quel idiot il avait été ! Elle ne voulait ni de lui, ni de la maison qu'ils avaient restaurée ensemble.

Il soutint son regard.

— Ma famille.

Il la vit accuser le coup.

— Ainsi, tout ce qui s'est passé entre nous, c'était pour la maison ?

— Oui. Enfin, non.

Gabriel fourragea nerveusement dans ses cheveux.

— Peut-être au début, mais les choses ont évolué.

— Et maintenant ?

— Je ne sais plus.

Il avait tant de mal à faire le deuil de sa maison…

— Tu n'as jamais envisagé de rester à Berry Patch.

— Non.

— Tu as toujours eu l'intention de vendre la maison à ta famille.

— Oui.

— Tu veux t'associer à leur entreprise.

— Oui.

— Dans ce cas, tu as tout ce que tu voulais, dit-il amèrement.

Et, sur ces mots, il se retira.

— Es-tu sûre de ne pas le regretter, Faith ? demanda Bill.

Elle n'était plus sûre de rien. Le soleil inondait la petite maison des dépendances mais Faith ne ressentait qu'un grand froid intérieur. Son cœur, qui débordait le matin même de joie et d'amour, était maintenant triste et désolé. Peut-être quand elle serait chez elle finirait-elle par oublier. Jusqu'alors…

— Oui, je suis sûre.

Elle sortit une valise d'un placard, la posa sur le lit et entreprit de la remplir.

— Je n'ai plus de raisons de rester.

— Tant mieux. Nous sommes si heureux de ton retour.

Ils étaient heureux, mais elle avait seulement envie de pleurer.

— Ça va, petite sœur ? demanda Will à son tour.

— Je…

Par la fenêtre, elle regarda la belle maison Craftsman, sa rivale, et ferma les yeux.

— Ça ira mieux quand je serai à la maison.

Et, courageusement, elle refoula ses larmes. Gabriel Logan ne valait pas plus que les autres qu'on pleure sur lui. Elle avait encore fait fausse route…

Will prit la valise.

— Je la mets dans le coffre.

— Est-ce que ça vous ennuierait de m'attendre cinq minutes ? demanda-t-elle brusquement.

Son père posa sur elle un regard plein de sollicitude.

— Prends ton temps, ma chérie.

Assis sur les marches du porche de la maison Larabee, Gabriel caressait Frank.

— C'est fini, mon vieux.

En gémissant, le chien roula sur le dos.

— Entièrement d'accord avec toi.

Gabriel sortit les clés de sa poche et les contempla. Tant d'années passées à fantasmer sur cette maison…

— Nous ne la reverrons plus, ajouta-t-il.

Frank posa sur lui un regard incrédule.

— Nous nous en sortirons. Ce n'est qu'une maison et Faith n'est qu'une femme.

Une femme belle, intelligente, irremplaçable. Une

femme qui n'imaginait pas l'avenir à Berry Patch. Une femme qui ne l'aimait pas.

Il tenta d'ignorer la douleur qui lui tordait le cœur.

Frank s'assit et dressa les oreilles.

— Qu'est-ce que tu as ?

Le chien agita frénétiquement la queue et Faith parut dans l'allée.

— Bonjour.

Gabriel se raidit. Comme elle grattait Frank derrière les oreilles, le chien leva sur elle un regard éperdu d'adoration. Et le tableau éveilla la jalousie de Gabriel.

— Tu vas me manquer, Frank.

L'heure des adieux avait donc sonné. Doucement, Gabriel serra les clés dans le creux de sa main avant de les lui tendre.

Elle secoua la tête.

— Garde-les.

— Mais… pourquoi ?

— Je vais…

Rester ? Le pouls de Gabriel s'accéléra.

— … te vendre la maison.

L'air lui manqua soudain.

— Que dis-tu ?

— Je vais te vendre la maison. Si tu la veux toujours…

— Bien sûr ! Mais tu l'avais achetée pour Starr Properties…

Elle haussa les épaules.

— Ce n'est pas une maison faite pour recevoir des étrangers.

— En es-tu sûr ?

— La veux-tu, oui ou non ? demanda-t-elle avec impatience.

— Oui.

— Maintenant, c'est toi qui verras tes rêves comblés. Un agent s'occupera de la transaction. Moi, je rentre à la maison avec Will et mon père.

La plus grande confusion régnait dans l'esprit de Gabriel.

— Je ne sais que te dire à part… merci. Reviendras-tu ?

— Non.

C'était étrange. Au moment où il voyait son rêve exaucé, Gabriel n'éprouvait qu'une sensation de vide.

— Bon, il est temps que j'y aille.

« Demande-lui de rester, espèce d'idiot ! »

— Je suppose.

Elle posa un baiser sur la grosse tête de Frank.

— Profite bien de ta nouvelle maison !

Gabriel lui prit les mains.

— J'espère que ton nouveau métier te rendra heureuse.

Il lâcha précipitamment ses mains.

— Au revoir, Faith.

— Au revoir, Gabriel.

11.

A travers les branches, le clair de lune éclairait le paysage baigné de brume d'une lumière irréelle. Soudain, un bruit de sabots résonna dans le sous-bois.

— Attendez ! cria-t-elle. Je vous en prie, attendez !

Elle ne reçut pas de réponse mais le martèlement s'était tu.

Elle releva ses jupes à deux mains et courut le long du chemin. A travers ses fines semelles, elle sentait les cailloux du chemin blesser ses pieds.

Et puis, au détour du sentier, elle le vit, campé sur son fier étalon au milieu d'un banc de brume.

— Je suis perdue ! Je n'arrive pas à retrouver le chemin de ma maison.

— Je suis là pour vous servir, noble dame.

La voix était chaude, rassurante.

— Je voudrais voir votre visage, brave chevalier. Que je sache à qui je confie le soin de ma sécurité.

Il porta sa main gantée de fer à la visière de son casque. Quand il la souleva, elle poussa un cri.

— Toi. C'est toi !

Et elle sut de façon certaine que le beau chevalier saurait la ramener chez elle.

Un coup frappé à la porte éveilla Faith. Toute désorientée, elle souleva sa tête posée sur le bureau. Même dans ses rêves, Gabriel la hantait… Un autre coup résonna. Elle frotta ses yeux fatigués.

— Entrez !

C'était son père qui venait prendre de ses nouvelles.

— A quelle heure es-tu rentrée hier soir ? demanda-t-il d'un ton soucieux.

— Je me suis endormie ici.

— Tu n'es pas raisonnable, chérie !

Possible, mais elle devait s'occuper l'esprit pour oublier Berry Patch et Gabriel.

— Je me reposerai plus tard.

— Tu fais du bon travail, tu sais.

Le compliment lui arracha un sourire.

— Mais es-tu heureuse ?

— Bien sûr, répondit-elle un peu trop vite.

Elle ne pleurait plus toutes les larmes de son

corps, ne se bourrait plus de chocolat, avait appris à se passer de ses baisers enivrants…

— Je suis à la maison et ce métier me convient parfaitement. Que pourrais-je demander de plus ?

— Tu n'es pas toi-même ; ta mère et moi l'avons remarqué.

— Laissez-moi le temps de m'adapter.

— Je voudrais te montrer quelque chose, dit Bill, sortant une feuille de papier de son classeur. Tu l'as dessinée quand tu étais petite. Je n'ai pu m'empêcher de noter la ressemblance avec la maison Larabee.

Faith examina le dessin. Trois fenêtres en saillie sur le toit, un porche sous lequel dormait un chien jaune. Il ne manquait que Gabriel au tableau.

Son cœur se serra.

— Ta mère et moi ne voulons que ton bonheur, Faith. Nous t'avons peut-être trop pressée de rentrer à la maison.

— Je suis revenue parce que j'en avais envie.

— Ta présence nous ravit, Faith, ne te méprends pas sur le sens de mes paroles. Mais si tu préfères reprendre ton métier d'actrice ou… retourner à Berry Patch, tu es libre.

— Pourquoi Berry Patch ?

— Personne ne t'y attend ?

— Personne.

— Ce n'est pas l'avis de ta mère.

— Maman se trompe.

— J'aurais dû lui casser la figure quand j'en avais l'occasion, marmonna Bill.

Elle posa une main sur son bras.

— Gabriel n'est pas responsable, papa.

Non, il s'était contenté d'être lui-même. Il voulait sa maison, certes, mais Faith avait également attendu quelque chose de lui. Elle avait exigé la preuve qu'elle ne se trompait pas en tombant amoureuse de lui. Elle n'avait pas tenu compte des désirs de Gabriel, seulement des siens. Elle s'était montrée égoïste.

Les regrets l'assaillirent.

Son père grommela, apparemment peu convaincu.

Elle avait toujours eu confiance en son jugement mais le temps était peut-être venu d'accorder crédit au sien.

En regardant le dessin, son cœur s'emplit de nostalgie. Un dénouement heureux l'attendait là-bas ; elle le sentait au plus profond d'elle-même. Son beau chevalier viendrait la délivrer. A moins, pensa-t-elle dans un sourire, que ce ne soit elle qui vole à son secours…

Son rêve était devenu réalité, il habitait la maison Larabee… sa maison.

Au lieu de chercher un nouveau but motivant, il revenait à son projet initial. La maison, le chien…

Il regarda Frank, couché devant la cheminée et soupira.

La maison était vide, comme sa vie et son cœur.

Il se laissa tomber sur le canapé et contempla le plafond.

Comment avait-il pu se montrer aussi stupide ?

Depuis des années, il pourchassait un vain rêve. Son père n'avait peut-être pas de plan mais lui avait eu tort de s'accrocher au sien. Au lieu d'y renoncer, il avait laissé partir Faith.

Idiot !

Frank aboya.

On ne peut créer sa vie de toutes pièces. Il avait exigé la perfection ; il se retrouvait sans rien.

Il passa une main dans ses cheveux.

Pour être heureux, il avait besoin de Faith, et de rien d'autre. Pas même de la maison. C'était Faith son rêve devenu réalité. Malheureusement, il avait été trop aveugle pour s'en rendre compte.

Mais c'était terminé.

Il se leva.

— Viens, dit-il à Frank. Nous allons faire nos valises.

Elle était de retour chez elle.

Tout en contemplant la maison, Faith répétait mentalement les mots qu'elle allait lui dire. Si seulement elle avait un script à suivre… Mais aucun scénariste ne lui viendrait en aide, pas plus qu'un réalisateur. Elle était livrée à elle-même.

Elle rassembla tout son courage.

La porte de devant s'ouvrit et son cœur s'arrêta de battre.

Frank sortit pesamment. En la voyant, il aboya puis descendit en trottinant les marches.

Elle s'agenouilla pour étreindre le bon géant.

— Tu m'as manqué, tu sais.

— Frank ?

Le son de la voix de Gabriel la fit frissonner. Toute sa vie allait se jouer sur cet instant. Elle prit une inspiration.

— Faith ? s'exclama Gabriel d'un ton incrédule. Que fais-tu ici ?

Elle se redressa de toute sa hauteur.

— Je suis venue te voir.

Gabriel la contemplait, l'air abasourdi. Parfait.

214

L'accueil était on ne peut plus chaleureux. Elle contint une envie de s'enfuir.

Son regard tomba sur le porche.

— Tu as installé une balancelle.

Frank collé à son flanc, elle escalada les marches et s'y installa.

— C'est une bonne idée.

Gabriel prit place près d'elle.

— Tu voulais me voir ?

— Plus exactement, il fallait que je te voie.

Gabriel éclata de rire.

— Tu ne vas pas me croire : Frank et moi étions sur le point de partir quand tu es arrivée. Nous avions envie, non, il fallait que nous te voyions.

Les battements du cœur de Faith s'accélérèrent.

— Pourquoi ?

— Je sais que tu détestes les excuses mais je dois quand même t'en présenter.

Faith ne voulait pas ses excuses, elle voulait son amour.

— Tu n'as pas à t'excuser.

— Si. J'aurais dû te dire que je convoitais la maison.

Elle hocha la tête.

— Et t'expliquer les mobiles profonds de ma mère…

215

Faith posa sur lui un regard interrogateur.

— Elle voulait te chasser de la ville parce qu'elle craignait que tu me brises le cœur.

— Est-ce que…

Elle plongea son regard dans le sien.

— … je t'ai brisé le cœur ?

— Je m'en suis chargé tout seul. Toi, tu m'avais aidé à le trouver.

La tendresse de son regard lui donnait l'impression qu'elle n'aurait plus jamais froid.

— J'ai consacré des années à poursuivre une chimère. Tu es tout ce que je veux, Faith, tout ce dont j'ai besoin.

— Je suis à toi.

Il prit possession de sa bouche. Les doutes de Faith s'étaient envolés. C'était bien lui l'homme de sa vie, entre les mains de qui elle pouvait se remettre entièrement.

— Hors caméra, mais je veux bien te partager avec la caméra.

— Pardon ?

— J'ai une idée, dit-il en lui prenant la main. Les émissions présentent des conseils de restauration sont à la mode…

— Il faudrait pour cela quitter Berry Patch.

— Etre avec toi est plus important que tout.

Il serra sa main.

— Et puis, nous aurons toujours cette maison pour revenir nous installer quand nous aurons besoin d'un endroit pour élever nos enfants. Je veux dire, nos garçons.

La joie submergea le cœur de Faith.

— Et nos filles !

Il prit son visage entre ses mains et son expression se fit infiniment tendre.

— Je t'aime, Faith.

Elle refoula des larmes de joie.

— Je t'aime aussi. Veux-tu m'épouser ?

— C'est mon texte, non ?

— Je n'ai pas eu beaucoup de chance jusqu'ici. Je pensais essayer une approche différente.

Il éclata d'un rire chaleureux, vibrant ; un rire qu'elle avait envie d'entendre tous les jours de sa vie.

— Excellente idée !

— Dois-je comprendre que tu acceptes ?

— J'accepte. Mais est-ce que ça signifie que les gens vont m'appeler M. Faith Starr ?

— En réalité, c'est M. Faith Addison. Mais je pencherais plutôt pour Mme Gabriel Logan.

Il lui caressa la joue.

— Ça sonne bien.

— Je trouve aussi.

Elle soupira. Restait un point noir.

— Ne pourrions-nous éviter toutes ces histoires de cérémonie ?

— De quoi parles-tu ?

— Eh bien, les gens, la réception, tout ça ! Je n'en ai vraiment pas envie.

Elle posa sur lui un regard plein d'espoir.

— Si on s'enfuyait ?

— J'ai fait le plein du pick-up et mes bagages sont prêts, dit Gabriel en lui tendant la main. Allons-y !

Frank se mit à aboyer avec frénésie.

— Il est d'accord ! dit Gabriel.

— Quel chien intelligent !

— Ce n'est rien de le dire...

Gabriel la prit dans ses bras et l'embrassa.

— Il a su te trouver.

Le nouveau visage
de la collection Or

◆

AMOURS D'AUJOURD'HUI

Afin de mieux exprimer sa modernité et de vous séduire encore davantage, votre collection Or a changé de couverture et de nom depuis le 1er mars 1995.

Rassurez-vous, les romans, eux, ne changent pas, et vous pourrez retrouver dans la collection **Amours d'Aujourd'hui** tous vos auteurs préférés.

Comme chaque mois, en effet, vous y attendent des héros d'aujourd'hui, aux prises avec des passions fortes et des situations difficiles...

**COLLECTION
AMOURS D'AUJOURD'HUI :**
Quand l'amour guérit des blessures de la vie...

Chère lectrice,

Vous nous êtes fidèle depuis longtemps?
Vous venez de faire notre connaissance?

C'est pour votre plaisir que nous avons
imaginé un rendez-vous chaque mois
avec vos auteurs préférés, vos
AUTEURS VEDETTE dans les
collections Azur et Horizon.

Les AUTEURS VEDETTE vous
donneront rendez-vous pour de
nouveaux livres vedette.

Pour les reconnaître, cherchez
l'étoile... Elle vous guidera!

Éditions Harlequin

HARLEQUIN

LE FORUM DES LECTEURS ET LECTRICES

CHERS(ES) LECTEURS ET LECTRICES,

VOUS NOUS ETES FIDÈLES DEPUIS LONGTEMPS?

VOUS VENEZ DE FAIRE NOTRE CONNAISSANCE?

SI VOUS AVEZ DES COMMENTAIRES, DES CRITIQUES À
FORMULER, DES SUGGESTIONS À OFFRIR, N'HÉSITEZ
PAS... ÉCRIVEZ-NOUS À:

> LES ENTERPRISES HARLEQUIN LTÉE.
> 498 RUE ODILE
> FABREVILLE, LAVAL, QUÉBEC.
> H7R 5X1

C'EST AVEC VOS PRÉCIEUX COMMENTAIRES QUE NOUS
ALLONS POUVOIR MIEUX VOUS SERVIR.

DE PLUS, SI VOUS DÉSIREZ RECEVOIR UNE OU
PLUSIEURS DE VOS SÉRIES HARLEQUIN PRÉFÉRÉE(S)
À VOTRE DOMICILE, NE TARDEZ PAS À CONTACTER LE
SERVICE D'ABONNEMENT; EN APPELANT AU
(514) 875-4444 (RÉGION DE MONTRÉAL) OU 1-800-667-4444
(EXTÉRIEUR DE MONTRÉAL) OU TÉLÉCOPIEUR
(514) 523-4444 OU COURRIER ELECTRONIQUE:
AQCOURRIER@ABONNEMENT.QC.CA OU EN ÉCRIVANT À:

> ABONNEMENT QUÉBEC
> 525 RUE LOUIS-PASTEUR
> BOUCHERVILLE, QUÉBEC
> J4B 8E7

MERCI, À L'AVANCE, DE VOTRE COOPÉRATION.

BONNE LECTURE.

HARLEQUIN.

VOTRE PASSEPORT POUR LE MONDE DE L'AMOUR.

69 L'ASTROLOGIE EN DIRECT
TOUT AU LONG
DE L'ANNÉE.

(France métropolitaine uniquement)
Par téléphone 08.92.68.41.01
0,34 € la minute (Serveur JET MULTIMÉDIA).

Composé et édité par les
éditions Harlequin
Achevé d'imprimer en mai 2006

BUSSIÈRE
GROUPE CPI

à Saint-Amand-Montrond (Cher)
Dépôt légal : juin 2006
N° d'imprimeur : 60958 — N° d'éditeur : 12137

Imprimé en France